Le dernier tango à Paris

Éditions J'ai Lu

ROBERT ALLEY

Le dernier
tango à Paris

Traduit de l'américain
par Jean PERRIER

1

Un radieux soleil hivernal jouait parmi les arches cannelées du viaduc du métro, projetant un treillage d'ombres sur les eaux sombres de la Seine. Au-dessus du métro aérien, sur le large trottoir qui faisait songer à l'intérieur d'un hall vaste et somptueux, les piétons avançaient et se croisaient en silence, prisonniers d'un rituel étrange et fascinant. De lourdes colonnes de fer gris-bleu dont le haut s'épanouissait en corolles, complétaient cette illusion d'un îlot d'Art Nouveau, suspendu dans le temps. Le discret soleil de janvier n'ajoutait aucune chaleur à cette atmosphère de décadence raffinée que venaient contredire les relents terreux qui montaient du fleuve, l'odeur des marrons grillés qui montait du quai, le crissement du métal quand le train passait là-haut en martelant les rails. La longue lamentation de son sifflet marquait le prélude d'une symphonie infernale. La danse commençait.

Deux personnages qui traversaient le pont, marchant dans la même direction, étaient prisonniers déjà de cette cadence, mais ils ne s'en doutaient pas, et ils n'auraient pu expliquer cette curieuse conjonction de l'heure et des circonstances qui les avaient amenés là ensemble. Pour chacun d'eux, le pont, la

5

journée, le ciel de Paris et les conditions mêmes de leur existence avaient une signification totalement différente, ou bien pas de signification du tout, et toute possibilité de rencontre aurait paru infinitésimale.

Son profil à lui était celui d'un faucon, arrogant et sans compromis même dans le chagrin, car il pleurait tout en avançant sans but de colonne en colonne. Il avait un corps trapu et solidement musclé et il évoluait avec la nonchalance d'un athlète vieillissant, passant des doigts courts dans ses cheveux, enfonçant des mains de travailleur dans les poches de son manteau de cachemire un peu taché, mais bien coupé, dans le style mis à la mode par certains gangsters américains. Sa chemise était ouverte, révélant un cou de taureau. Lorsque le train passa, il leva la tête et hurla une injure dans le fracas. A cet instant, son visage, bien que mal rasé et tourmenté, avait une précision anguleuse et autour de la bouche et des yeux une délicatesse qui était presque féminine. En même temps il y avait chez lui quelque chose de grossier, de brutal. Il paraissait environ quarante-cinq ans et il avait des traits un peu patinés par la débauche. Les autres hommes qui le rencontraient dans l'ombre des arches avaient tendance à s'écarter sur son passage.

La fille avait une vingtaine d'années. Elle portait un feutre mou marron insolemment penché sur l'oreille. Elle avait cette expression impétueuse des filles jeunes et belles. Sa démarche était provocante jusqu'à l'impertinence. Enveloppée dans un manteau maxi de daim blanc, avec un col en renard argenté qui lui encadrait le visage, elle balançait son sac à main au bout d'une longue bandoulière de cuir. Elle avait les cils passés au rimmel, une bouche aux lèvres pleines et un peu boudeuses, et on avait l'impression qu'elle venait juste de se remettre du rouge. Le manteau ne parvenait pas à masquer totalement son corps épanoui et vigoureux, qui semblait animé d'une volonté propre.

Ils s'appelaient Paul et Jeanne. Pour elle, l'odeur de la Seine et les reflets du soleil sur les fenêtres à vitraux des appartements le long des quais, les éclairs qui jaillissaient sous le ventre du métro et les coups d'œil de connaisseurs des hommes qui passaient étaient autant d'affirmations de son existence. Pour lui, tous ces détails étaient sans signification, en admettant même qu'il les remarquât : ce n'étaient que des manifestations épisodiques de ce monde qu'il détestait.

Ce fut elle qui le vit la première et elle ne détourna pas la tête lorsqu'il dirigea vers elle son regard désespéré mais ferme : quelque chose se passa dans ce premier échange. Un homme qui pour elle semblait une épave devint soudain remarquable, peut-être à cause des larmes et de cette impression contradictoire de violence réprimée. Lui ne vit qu'un objet, plus agréable à ses sens que la plupart, mais quand même un objet, jeté soudain absurdement sous ses pas.

Jeanne eut l'envie fugitive de toucher ses joues humides et mal rasées, Paul fut surpris d'éprouver une flambée de désir, et se demanda si cette sensation correspondait à une réalité. Pendant quelques secondes, ils marchèrent côte à côte, du même pas, l'expression de chacun ne révélant rien de plus qu'un vague intérêt, puis elle le dépassa, comme s'il était une ancre attachée à elle par un lien invisible mais irrésistible. Elle arriva à l'extrémité du pont et sortit de cette ambiance Arts Déco des colonnes métalliques pour plonger dans la violence du monde contemporain, où il n'était pas question de prendre les klaxons des automobilistes agacés pour de la musique, où le bleu du ciel était trop pur et trop brutal, et ce fil cassa — ou bien prit du mou — et pour l'instant fut oublié.

Elle passa devant le café du Viaduc, rue Jules-Verne. La rue était déserte, bien que ce fût l'heure de la rentrée des bureaux et que la circulation dans Paris atteignît sa pointe matinale. Elle remonta la rue jusqu'à une grande porte cochère dont le fer forgé protégeait une vitre jaune opaque. Un écriteau manuscrit au-dessus du bouton de sonnette annonçait : *Appartement à louer. Cinquième étage.* Jeanne recula, lorgna les balcons tarabiscotés qui s'alignaient à chaque étage. Elle avait découvert l'immeuble par hasard, et elle se demandait quel genre d'appartement elle allait trouver derrière ces colonnes épaisses, trapues, vaguement sensuelles, et les volets à demi clos comme des paupières lourdes, entrouvertes sur des yeux somnolents et lubriques. Jeanne avait un fiancé, et ils avaient souvent parlé de s'installer ensemble — bien que ces discussions fussent toujours d'ordre général, presque académique — et l'idée lui était venue que ce pourrait bien être l'appartement susceptible de transformer le rêve en réalité.

Elle entendit des pas, et elle jeta un coup d'œil derrière elle, mais la rue était toujours vide. Elle revint jusqu'au café. Des ouvriers en salopette étaient accoudés au comptoir d'aluminium poli, buvant à petits coups un café arrosé de cognac avant d'aller prendre leur travail. Quand Jeanne poussa la porte battante, leurs regards s'attardèrent sur elle — comme les hommes le faisaient toujours — mais elle les ignora et descendit rapidement l'escalier pour aller téléphoner.

La lumière était allumée dans la cabine au fond du couloir. Avant qu'elle ait eu le temps d'arriver, la porte des toilettes côté hommes s'ouvrit et Paul en sortit. Elle fut surprise de le voir, bizarrement elle en fut même un peu effrayée, et elle se plaqua contre le mur pour le laisser passer. Il la dévisagea, secrètement content de cette proximité et de la coïncidence de leur rencontre. Il éprouvait le même élan de désir que tout à l'heure, et il ne prit pas la peine d'examiner les détails plus subtils de ses traits ni de ses vêtements, pas plus que lorsqu'il l'avait aperçue par hasard plantée devant l'immeuble quelques instants plus tôt. Cela semblait une ironie suprême qu'il fût distrait de son chagrin — sa femme s'était suicidée la veille au soir, elle s'était arrangée pour que Paul se retrouvât seul devant cette scène sanglante, sans laisser aucune explication — par quelque chose d'aussi banal qu'une jolie fille.

Il la croisa sans même indiquer par un sourire qu'il l'avait reconnue, et sortit du café.

Jeanne était vaguement troublée par cette rencontre : l'inexplicable attirance qu'elle avait ressentie sur le pont, voilà qu'elle l'éprouvait de nouveau, et elle trouvait là quelque chose qui, étrangement, l'humiliait. Elle entra dans la cabine, introduisit son jeton et composa le numéro, sans se donner le mal de fermer la porte.

— Maman, dit-elle, c'est Jeanne... J'ai trouvé un appartement à Passy. Je vais le visiter... Et puis j'ai rendez-vous avec Tom à la station de métro... A tout à l'heure... Je t'embrasse.

Elle raccrocha et remonta l'escalier. Dans la rue, le soleil semblait trop fort pour l'hiver, on avait l'impression d'un moment hors du temps. Une longue DS noire se coula sans bruit dans la rue, mais c'était une exception; des échafaudages vides semblaient soutenir un des élégants vieux immeubles qui occupaient le pâté de maisons. Elle s'arrêta un instant sur le trottoir, sa main tâta les fleurs fraîches qu'elle avait épinglées à la coiffe de son chapeau; puis elle tourna les talons et repartit d'un pas désinvolte vers l'immeuble, avec l'agréable certitude que les hommes dans le bar la suivaient des yeux.

Elle pressa le bouton et poussa la lourde porte en fer forgé. Derrière la vitre jaunie, on apercevait une entrée mal éclairée, où flottait une odeur de Gauloises bleues refroidie et les relents peu ragoûtants de quelque chose qui mitonnait sur un fourneau quelque part dans les étages. La lumière filtrait par de hautes fenêtres aux carreaux mal lavés pour éclairer la cage aux ferronneries compliquées de l'ascenseur; une porte aux vitres jaunies plus opaques séparait l'entrée de la loge de la concierge, et Jeanne s'approcha de la petite fenêtre ouverte.

Une grosse femme noire était assise, tournée vers le mur d'en face, en train de lire un journal. Jeanne s'éclaircit la voix pour attirer l'attention de la femme, mais celle-ci ne bougea pas, ne s'intéressant visiblement pas à ce qu'on pouvait lui vouloir.

— Je suis venue pour l'appartement, finit par dire Jeanne. J'ai vu la pancarte.

La concierge tourna la tête, et Jeanne s'aperçut qu'elle avait la cataracte aux deux yeux.

— La pancarte? fit la femme en jetant un regard hostile vers un coin de son réduit. C'est bien ça, personne ne me dit rien.

Elle se mit à chantonner, un refrain sans air qui ressemblait plutôt à une lamentation — et de nouveau elle détourna la tête.

— J'aimerais le visiter, dit Jeanne.

— Vous voulez le louer?

— Je ne sais pas encore.

La femme se mit pesamment sur ses pieds, au prix de ce qui semblait être un immense effort. Puis elle se lança dans une longue litanie de doléances.

— Ils louent. Ils sous-louent. Ils font ce qu'ils veulent. Et je suis la dernière à le savoir. Vous avez une cigarette?

Jeanne fouilla dans son sac, y prit un paquet de Gitanes et le lui tendit par la fenêtre. La concierge y puisa une cigarette, après quoi Jeanne retira précipitamment sa main, répugnant à subir le contact de cette femme. L'autre alluma soigneusement sa cigarette, renversant en arrière sa tête massive en s'efforçant de voir le bout qu'elle allumait, et elle aspira profondément la fumée. Au lieu de rendre le paquet, elle le laissa tomber dans la poche du chandail informe qui l'enveloppait tant bien que mal.

— Ça n'était pas comme ça autrefois, dit-elle. Montez si vous voulez. Mais faudra que vous y alliez toute seule. J'ai peur des rats.

Elle avait une voix infiniment lasse. Jeanne avait l'impression d'essayer de forcer l'entrée d'un monde souterrain, plein d'ombres et de menaces, et de se heurter à un gardien décidé à lui barrer le passage. Cette vieille femme, comme Charon aux portes des enfers, réclamait un paiement avant d'admettre les suppliants; Jeanne se demanda si elle allait disparaître dans les profondeurs de l'immeuble.

La concierge tripotait les grosses clefs accrochées au tableau au-dessus de sa chaise.

— La clef a disparu, dit-elle d'une voix croassante. Il se passe de drôles de choses ici.

La porte la plus proche de la cage d'ascenseur s'ouvrit en grinçant. Jeanne vit émerger une main émaciée qui étreignait une bouteille vide, et la déposer maladroitement sur le carrelage. Puis la main disparut et la porte se referma aussitôt.

— Ils descendent six bouteilles par jour, dit la femme d'un air absent, comme si les locataires étaient des animaux et pas des gens.

Jeanne tourna les talons, elle s'apprêtait à partir. L'état de délabrement de l'immeuble l'inquiétait, mais plus encore que cette impression d'isolement, la sensation d'être prisonnière dans un endroit hors du temps, où il ne se trouvait pas de gens normaux pour faire ce que font tous les gens normaux, mais seulement des infirmes et des quasi-morts.

— Attendez! cria la concierge. Ne partez pas. Il doit y avoir un double.

Elle fouilla dans un tiroir et exhiba une vieille clef de cuivre.

— Voilà, dit-elle en la tendant à Jeanne, qui voulut éviter de toucher cette chair molle et grasse.

Mais elle n'avait pas eu le temps de retirer sa main que la femme l'avait saisie dans la sienne et la serrait. Un sourire de demeurée révéla ses dents rongées par la carie.

— Vous êtes jeune, fit-elle en ricanant, frottant ses doigts sur la main et le poignet de Jeanne.

Celle-ci libéra sa main d'un geste brusque et se dirigea vers l'ascenseur. La femme ricanait toujours lorsque Jeanne claqua la porte de la cage; elle tendit l'oreille pour écouter le soupir de la machinerie vétuste tandis que l'ascenseur commençait à monter. L'immeuble la faisait penser à un mausolée, grandiose dans sa conception et dans sa construction, mais dont les occupants ne seraient jamais à la hauteur de la majesté et l'avaient laissé se délabrer. On n'entendait pas d'autre bruit que celui du vieil ascenseur et le claquement de la grille lorsqu'elle sortit de la cabine au cinquième étage.

La porte de l'appartement était large et lourde, le bois peint paraissait presque noir dans l'ombre du palier. Le bouton de porte en cuivre ciselé était patiné par le contact de mains innombrables. Jeanne tourna la clef dans la serrure et poussa le lourd battant. Pénétrant dans le vestibule, elle fut aussitôt frappée par l'immensité et par le style de l'appartement. Le sol de l'entrée était en carrelage noir et blanc; les lambris des murs étaient du même bois

12

sombre et somptueux que celui de la porte. Elle avança dans le couloir avec respect, presque avec crainte. Elle apercevait le parquet magnifique du salon dont les murs étaient tendus d'une matière d'un jaune doux qui avait la texture du vieux parchemin. Les grandes vitres incurvées des fenêtres en saillie, qu'on n'avait pas lavées depuis longtemps, donnaient à la lumière du soleil, qui se déversait à flot, des reflets d'or bruni. La pièce était un cercle parfait. Les moulures compliquées du plafond s'arrêtaient juste au-dessus des fenêtres : il y avait là un espace uni, qui n'avait pas plus d'un mètre, où le plâtre avait dû s'écailler et tomber en morceaux des années auparavant. Des traînées d'humidité marquaient le jaune doré des murs, et de grands tableaux rectangulaires et ovales qu'on avait décrochés avaient laissé des taches sombres comme si c'étaient des ombres de locataires en allés. Il régnait une ambiance de délabrement qui n'allait pas sans élégance, une sorte de somptuosité un peu décadente. Jeanne était tout à la fois attirée par l'extravagance sensuelle de l'appartement et écœurée par cette impression de décor qui tombait en ruine, et par l'odeur à peine perceptible de moisissure qui la faisait songer à la mort.

Elle s'avança dans le salon circulaire et d'un grand geste ôta son chapeau. Elle libéra la lourde masse de ses cheveux châtain, déboutonna son manteau et exécuta une pirouette au milieu du parquet, mais avec une certaine lenteur, impressionnée qu'elle était par ce décor. La lumière qui venait des fenêtres aux volets entrouverts l'éblouissait; les ombres semblaient se rapprocher.

Brusquement, elle le vit. Il était juché sur le radiateur, la tête appuyée sur ses genoux. Elle poussa un cri et se mordit le poing. Il ne fit pas un geste.

— Qui êtes-vous? fit-elle d'une voix haletante.

Elle s'efforça de retrouver son calme et recula lentement vers la porte.

— Vous m'avez fait peur, dit-elle aussi calmement qu'elle en était capable.

Puis elle le reconnut : c'était l'homme du pont.

— Comment êtes-vous entré?

— Par la porte.

Il avait une voix chaude et vibrante. Il parlait le français avec un accent étranger, sans douceur et avec un mépris apparent pour la langue.

Jeanne était plantée à l'entrée du couloir. Paul n'avait pas quitté son perchoir; elle n'avait qu'à tourner les talons et à s'en aller, mais, sans trop savoir pourquoi, elle hésita.

— Je suis bête, dit-elle. J'ai laissé la porte ouverte. Mais je ne vous ai pas entendu entrer.

— J'étais déjà là.

Il y avait quelque chose d'un peu sinistre dans sa voix. Jeanne se retourna pour mieux regarder son profil. Sa curiosité était piquée.

— Pardon? fit-elle.

Il estima de toute évidence que c'était là une phrase qui ne rimait à rien et ne méritait pas de réponse.

La silhouette de Paul s'allongea et s'élargit. Ses épaules massives semblaient en harmonie avec les proportions généreuses de la pièce, et il avançait sur le parquet avec une sorte de grâce pesante. Il avait des yeux intelligents, au regard intense, et il la dévisageait d'un air moqueur, brandissant une autre clef entre ses doigts.

— Ah, la clef, fit-elle. Alors, c'est vous qui l'aviez prise...

— Elle me l'a donnée, corrigea-t-il, l'air toujours railleur.

L'évidente appréhension qu'il sentait chez elle lui semblait stupide, presque risible. Peu lui importait qu'elle le crût ou non, qu'elle restât ou qu'elle partît, mais le désarroi qu'il sentait chez elle l'amusait.

— Il a fallu que j'achète la concierge, annonça Jeanne, étonnée de s'entendre faire un effort pour relancer la conversation.

Pourquoi ne s'en allait-elle pas tout simplement en plantant là cet homme étrange, qui pleurait tout à l'heure sur le pont et qu'elle retrouvait maintenant rôdant dans les ombres d'un appartement vide? Elle se demanda s'il n'était pas fou.

— Vous avez un accent américain, lui dit-elle comme si peut-être il ne s'en était pas aperçu, et tout d'un coup elle se sentit stupide.

Paul décida de ne pas s'occuper d'elle. Il tourna les talons et se mit à arpenter majestueusement la pièce, inspectant avec un air d'autorité le parquet, où l'encaustique avait disparu depuis belle lurette, et les murs en mauvais état; il paraissait aussi vaniteux que fort.

— Ces vieux immeubles me fascinent, dit Jeanne d'un ton mondain.

— Les loyers n'y sont pas trop chers, fit-il d'un air condescendant, tout en passant un doigt le long de la tablette de la cheminée.

Il s'arrêta et contempla la poussière qui s'était accumulée là, se rappelant soudain le choc que ç'avait été de voir sa femme morte, la façon dont il avait fui leur hôtel après l'arrivée de la police, l'expression terrifiée sur le visage des autres pensionnaires. Il n'arrivait plus à se souvenir de ce qui s'était passé alors. Le visage de la fille rencontrée sous le pont réveilla tout d'un coup son chagrin : elle était si vivante, elle.

— Un fauteuil ne ferait pas mal près de la cheminée, dit Jeanne.

— Non, répliqua-t-il. La place du fauteuil, c'est devant la fenêtre.

Ce n'était même pas une remarque : c'était un ordre.

Elle se tenait à une certaine distance de lui, et pourtant elle aurait aimé le regarder de plus près, examiner ses vêtements et les yeux d'un gris pâle un peu cachés sous le front hautain. Elle n'arrivait pas à comprendre pourquoi elle accueillait si bien ces rebuffades, et elle éprouvait un violent désir de le calmer.

Ils continuèrent à inspecter le salon, puis passèrent dans les pièces voisines, chacun faisant délibérément semblant de s'intéresser à l'appartement plutôt qu'à leur rencontre si peu vraisemblable et la promesse — ou bien la menace — de ce qu'elle allait donner. Ils passèrent cérémonieusement dans la salle à manger, lui à quelques pas derrière elle. Des piles de journaux jaunissants s'entassaient le long d'un mur; une vieille commode reposait sur trois pieds, et, sous un drap gris de poussière, on entrevoyait un amoncellement de caisses et de chaises cassées et d'autres meubles en triste état. Paul essaya de remettre d'aplomb la vieille commode, s'efforçant d'obtenir un équilibre instable, tout en attendant la réaction de la fille. Il sentait l'attirance et l'appréhension qu'elle éprouvait, et il décida de ne faire absolument rien pour l'aider. La situation le laissait indifférent, car il ne voyait en elle et en lui-même que deux corps ridicules, arrivés de nulle part et qui n'allaient nulle part.

Il ferma les yeux pour essayer de chasser le souvenir de la nuit précédente. Lorsqu'il les rouvrit, il vit que Jeanne avait déboutonné son manteau, révélant une courte jupe jaune et des jambes qui semblaient étonnamment longues et venaient se perdre dans des bottes de veau souple. Sous l'ourlet de la mini-jupe, on voyait ses cuisses, robustes et attirantes. Elle avait une peau saine et qui semblait rayonner sous la lumière. Paul constata qu'elle avait les seins forts et libres sous son corsage. Jeanne redressa les épaules.

— Vous allez le louer? demanda-t-elle.

— Et vous?

Il avait la voix un peu rauque maintenant :

— Je ne sais pas.

Paul s'approcha des fenêtres. Les toits de zinc et d'ardoise de Passy descendaient vers le fleuve, en un déferlement de plans contrariés dans diverses nuances de gris bleuté; la tour Eiffel se dressait au loin, comme une énorme antenne puisant de l'énergie dans le ciel. Jeanne et lui regardaient la tour, elle impressionnée par sa grandeur, lui par sa prétention. Puis Paul aperçut le reflet de la fille dans la vitre et de nouveau il examina son corps. Il sentit son estomac se serrer et sa bouche devenir sèche.

Elle sentait violemment le regard de l'homme sur elle, et elle en éprouvait tout à la fois de la gêne et une sorte d'exaltation, comme si elle savourait les petites humiliations qu'il lui infligeait.

— Je me demande qui habitait ici, dit-elle. Ça doit être inoccupé depuis longtemps.

Elle s'avança dans le couloir et revint vers la salle de bains. Elle croyait qu'il allait la suivre, mais elle entendit ses pas qui s'éloignaient en direction de la cuisine. D'un regard absent elle inspecta la salle de bains, tout en suivant ses déplacements à lui à l'autre bout de l'appartement. Le châssis vitré au-dessus de la baignoire inondait la petite pièce de lumière. La robinetterie des vieux lavabos jumelés était assortie au cadre vieillot du miroir ovale. Jeanne s'arrêta pour se tapoter les cheveux et pour jeter un coup d'œil à son maquillage dans la glace. Puis, dans un brusque élan d'audace, elle abaissa son collant, souleva son manteau et sa jupe et s'assit sur le siège des cabinets. Elle savait que c'était idiot de faire ça sans pousser le verrou ni même fermer la porte, qu'il risquait d'arriver à tout moment, et pourtant cette possibilité la comblait d'aise. Elle était terrifiée à l'idée qu'il pourrait la trouver là, et en même temps elle espérait que cela allait se produire. Paul, adossé au mur de la cuisine, regardait les tuyaux. Le bruit de la chasse d'eau dans la salle de bains l'arracha à ses méditations. Jeanne entra dans la cuisine, et ils évitèrent de se regarder, se croisant seulement avant d'entrer chacun dans une pièce. Tous deux se rendaient compte que, en prolongeant cette inspection, ils augmentaient les possibilités d'une confrontation. Aucun d'eux ne la voulait véritablement ni ne la recherchait, et pourtant ni l'un ni l'autre n'était disposé à rien faire pour rompre la monotonie de cette visite. On aurait dit qu'ils suivaient une chorégraphie et qu'ils répugnaient à briser l'ambiance du ballet ou cette aura de destin enfermée entre ces murs.

La sonnerie d'un téléphone arriva comme une intrusion. Jeanne décrocha le combiné dans la chambre en même temps que Paul répondait dans la salle à manger. La voix inconnue se tut bientôt et l'homme qui avait appelé raccrocha, mais Paul et Jeanne écoutaient toujours, chacun guettant le souffle de l'autre. Elle aurait voulu qu'il lui parle, qu'il fasse une petite confession — rien qu'un petit aveu de faiblesse — pour qu'elle puisse trouver la force simplement de se lever et de partir. Elle n'était même pas capable de raccrocher, et pourtant elle avait envie de reposer le combiné avec violence sur son support vieillot. Ce fut cette arrogance constante qu'il montrait qui la retint. Peut-être Paul s'en doutait-il, car il était fier de son pouvoir.

Il reposa l'appareil sur le parquet, se releva et traversa rapidement le salon circulaire pour s'engager dans le couloir. Il l'aperçut agenouillée dans la chambre, tournant le dos, écoutant toujours. Dans le soleil, ses cheveux avaient des reflets orangés, comme s'ils brûlaient; de son autre main, elle repoussait les pans de son manteau et à un moment il regarda les muscles tendus de ses cuisses.

Il s'approcha d'elle sans bruit, surprit sur son visage une expression d'enfant gourmande. Jeanne passait machinalement sur sa lèvre le bout de sa langue. Ce fut alors qu'elle le vit. Elle s'empressa de raccrocher, confuse et un peu effrayée; elle n'osait pas le regarder. En cet instant elle le redoutait et le détestait tout à la fois.

— Alors, vous avez décidé? demanda-t-elle sans pouvoir dissimuler le ressentiment qu'il y avait dans sa voix. Vous le louez?

— Ma décision était déjà prise.

Son autorité s'étant ainsi affirmée, il se radoucit.

— Maintenant je ne sais plus, dit-il. Il vous plaît?

Il lui prit la main pour l'aider à se relever. Il sentit autour des siens ses doigts à elle, frais, lisses et tendres; elle fut sensible à cette force qu'on devinait dans cette large paume et dans ces doigts jadis rendus calleux par des travaux manuels. C'était la première fois qu'ils se touchaient, et leurs mains s'attardèrent. Jamais elle ne s'était sentie si vulnérable.

— Il vous plaît? répéta-t-il tandis que leurs mains se séparaient. L'appartement?

— Il faut que j'y réfléchisse, dit-elle, inquiète. C'était difficile de réfléchir à quoi que ce soit.

— Réfléchissez vite, fit-il et cette formule banale dans sa bouche sonnait comme une menace.

Il la laissa. Jeanne entendit le bruit de ses pas dans le couloir, la porte d'entrée qui claquait, puis rien que le bruit de sa propre respiration. Un coup de klaxon retentit brièvement dans la rue en bas, suivi du silence total. Il est parti, se dit-elle, et tout d'un coup elle se sentit vidée. Elle ramassa son chapeau sur le sol et retraversa le salon pour sortir, plongée dans ses pensées. Elle releva la tête, stupéfaite.

Paul l'attendait, appuyé au mur. Directement éclairé par le soleil, il avait l'air encore plus grand, avec son menton levé et ses yeux voilés par ses paupières à demi closes. Il avait les bras croisés sur la poitrine; son manteau était ouvert, révélant son torse large et musclé, ses jambes.

— Je croyais que vous étiez parti, dit Jeanne.

— Je suis allé fermer la porte à clef. (Il s'approcha lentement d'elle, fixant ses grands yeux humides qui reflétaient plus de résignation que d'appréhension.) J'ai eu tort?

— Non, non, fit-elle, en essayant de reprendre son souffle. Je croyais simplement que vous étiez parti.

Ces paroles flottaient dans l'air comme une invitation.

En une seconde Paul fut devant elle. Il lui prit le visage entre ses mains et l'embrassa en plein sur les lèvres. Dans sa confusion, elle laissa tomber son chapeau et son sac et posa les mains sur les larges épaules de Paul. Pendant un moment, ils restèrent absolument immobiles. Rien dans le salon rond ne bougeait sauf les grains de poussière qui dansaient dans les rayons de soleil; aucun son ne parvenait jusqu'à eux, pas d'autre bruit que celui de leur souffle haletant. Ils semblaient suspendus dans le temps, tout comme la beauté fanée de la pièce, ils étaient isolés du monde, loin de leur vie habituelle. La pièce parut se réchauffer pour abriter cette étreinte brève, silencieuse. Brusquement Paul la souleva dans ses bras et la porta jusqu'au mur auprès de la fenêtre, sans plus d'effort que si c'était un bébé. Elle passa les bras autour de son cou, qui paraissait aussi solide qu'un tronc d'arbre, caressa les muscles de son dos sous le tissu lisse du manteau. Il émanait de lui une odeur de sueur et de quelque chose d'autre qu'elle ne parvenait pas à identifier, et qui était plus viril que l'odeur de tous les jeunes hommes qu'elle avait connus, et cela l'excitait terriblement. Il la reposa sur le sol, mais ses mains puissantes ne la lâchaient pas, elles l'attiraient vers lui en caressant ses seins épanouis à travers le tissu de sa robe. Il la déboutonna en quelques gestes rapides et habiles et glissa ses deux mains à l'intérieur, chacune soulevant un sein; du pouce il suivit le contour du bouton. Le contact de cette peau rugueuse l'excita et elle se plaqua contre lui.

Comme s'ils s'étaient donné le mot, chacun se mit à arracher les vêtements de l'autre. Elle l'empoigna à travers l'étoffe de son pantalon, Paul plongea la main sous sa robe, attrapa le haut de son collant et le lui arracha. Jeanne, haletante devant son audace, se cramponnait à lui, tout à la fois apeurée et impatiente. Il glissa une main entre ses jambes et la souleva presque de terre; de l'autre il déboutonnait rageusement son pantalon. Lui empoignant les fesses à deux mains, il la souleva vers lui et l'empala.

Ils s'agrippaient l'un à l'autre comme des bêtes. Jeanne semblait grimper le long de son corps, lui serrant les hanches entre ses deux genoux, suspendue à son cou comme une enfant perdue. Il la pressait contre le mur et s'enfonçait plus profondément en elle; pendant un moment ils luttèrent confusément, comme s'ils se battaient, mais bientôt l'accord se fit entre eux et ils se mirent à œuvrer de concert. Leurs corps avançaient et reculaient comme s'ils participaient à quelque danse aux mouvements savamment réglés. Le rythme se fit plus frénétique, la musique et le monde étaient oubliés, ils ahanaient et haletaient, se heurtant à ce mur qui protégeait leur passion, emportés par une fougue qui les dépassait, pour venir s'effondrer peu à peu et sans remords sur la moquette orange pelée.

Ils gisaient immobiles sur le sol, sans se toucher, leur souffle se calmant progressivement. Puis Jeanne roula sur elle-même, passa un bras sous sa tête et regarda le ciel. Des minutes s'écoulèrent; ils ne disaient pas un mot.

Ils se levèrent et rajustèrent leurs vêtements, chacun tournant le dos à l'autre. Jeanne remit son chapeau sous le même angle qu'avant et passa devant lui dans le couloir, puis sortit sur le palier. Paul referma la porte à clef derrière eux; Jeanne appela l'ascenseur détournant les yeux de Paul dans une attitude où il y avait quelque chose qui ressemblait à de la pudeur. Quelques minutes plus tôt, ils partageaient une étreinte sauvage, et maintenant qu'ils étaient sortis des limites de l'appartement, ils étaient devenus des étrangers l'un pour l'autre.

Elle fut reconnaissante à Paul lorsqu'il tourna les talons et descendit l'escalier à pied au lieu de prendre l'ascenseur avec elle. Mais ils ne purent éviter de se rencontrer dans le hall. Elle se demanda ce qu'il allait faire maintenant. Il marchait juste derrière elle. Il passa devant la loge de la concierge dont la fenêtre était soigneusement fermée et se dirigea vers la porte qu'il ouvrit pour elle.

Elle sortit dans la rue devant lui. Le soleil les aveuglait, et les rumeurs de Paris leur déchiraient les oreilles. Paul arracha à la porte la pancarte *A louer*, la déchira et en jeta les morceaux dans le caniveau. Ils hésitèrent un moment, puis chacun partit dans une direction opposée, et ni l'un ni l'autre ne se retourna.

2

C'était arrivé si brusquement que ç'aurait pu être du viol, seulement Jeanne savait très bien que ce n'était pas le cas. Elle sentait encore son odeur, la solidité de son corps, mais elle n'éprouvait qu'un sentiment de vague ivresse et d'incrédulité stupéfaite. Elle trouvait extraordinaire d'avoir pu s'ouvrir aussi complètement à un parfait étranger, d'avoir accueilli avec joie sa semence et sa violence, et puis de s'en aller après retrouver un autre homme qu'elle prétendait aimer et ne rien lui dire. Cette contradiction la séduisait.

La gare Saint-Lazare était encombrée. Sous la vaste verrière on entendait les sourds grondements des Diesels et l'écho de milliers de pas qui se hâtaient sur les quais. Tout, autour d'elle, était mouvement et bruit — une réalité brutale — alors que tout à l'heure elle avait connu une sorte de période suspendue dans le temps et l'accomplissement d'un rêve romanesque.

Jeanne acheta un billet de quai et franchit la grille. Elle avançait à contre-courant de la foule, s'attendant à voir le visage de Tom. Elle se demanda s'il allait la trouver changée. Ses amis parlaient souvent de son extraordinaire intuition. Cela l'inquiétait un peu, mais elle avait l'impression que, au milieu de cette foule énorme, elle était en sûreté avec son secret. Elle se dressa sur la pointe des pieds, essayant de repérer Tom et ne s'aperçut pas qu'un jeune homme avec un blouson de blue jeans s'était glissé derrière elle et avait commencé à la filmer avec une caméra Arriflex noire qu'il tenait à la main. Auprès du cameraman se tenait une silhouette décharnée coiffée d'écouteurs et qui portait un magnétophone Nagra attaché à une courroie passée sur son épaule. Il tenait dans une main un micro dont il tournait le bout tantôt dans une direction, tantôt dans une autre, pour enregistrer les bruits de fond. Une script-girl était sur leurs talons, une liasse de papiers à la main. D'autres voyageurs et des gens qui attendaient s'arrêtèrent pour regarder l'équipe des cinéastes, mais Jeanne, qui cherchait des yeux Tom, ne remarqua pas leur présence. Elle finit par l'apercevoir. Il portait un court blouson de cuir avec un col de fourrure, une cravate jaune et verte aux tons très vifs et un pantalon très large dans le bas. Il ne paraissait pas ses vingt-cinq ans; ses cheveux bruns étaient soigneusement coupés et peignés, il marchait d'un pas souple et sans complexe, et il avait un sourire aussi épanoui et innocent que celui d'un petit garçon.

Jeanne se fraya un chemin à travers la foule pour venir se jeter dans ses bras. Pendant un moment, la façon dont il l'étreignait parut à Jeanne un peu hésitante, voire fraternelle, lorsqu'elle songeait au piège impitoyable des bras et des épaules de Paul. Là-dessus, le train se mit à reculer en grinçant. Comme elle pivotait, surprise, elle aperçut l'équipe des cinéastes.

Etonnée, elle s'écarta de Tom.

— Est-ce qu'ils nous prennent pour d'autres ou quoi? demanda-t-elle visiblement agacée.

Tom se tourna vers la caméra avec un sourire ravi. Il était d'abord et par-dessus tout un cinéaste, fidèle disciple de Truffaut et de Godard et au cœur même de sa méthode documentaire — ce qu'on appelait le cinéma-vérité — il y avait le culte de la spontanéité et le souci de dissimuler les caméras, allant jusqu'à l'emploi de la ruse. La vérité pour Tom n'existait que dans les limites d'un rectangle de celluloïd de seize millimètres de côté, projeté à vingt-quatre images seconde. C'était un voyeur sophistiqué qui préférait regarder la vie par l'objectif d'une caméra. A cet égard, il était l'antithèse même de Paul.

— C'est du cinéma, annonça-t-il, et voici mon équipe. Nous sommes en train de tourner un film.

Il effleura des siennes les lèvres de Jeanne : il y avait quelque chose de malicieux dans son geste.

— Si je t'embrasse, ça pourrait être du cinéma.

Il lui toucha les cheveux.

— Si je te caresse, ça pourrait être du cinéma.

Inspiré, il laissa libre cours à son imagination. Jeanne le ramena sur terre.

— Arrête! exigea-t-elle, agitant les bras, comme si elle s'attendait à voir ainsi disparaître l'équipe qui les filmait.

— Je les connais, protesta Tom. Je te l'ai dit.

Comme si cette réponse suffisait, Tom ramassa sa valise et accompagna Jeanne jusqu'au bout du quai. Les cinéastes les suivirent.

— Ecoute, fit-il, je tourne un film pour la télévision. Ça s'appelle *Portrait d'une jeune fille* et la jeune fille, c'est toi.

— Tu aurais dû me demander la permission.

Le préposé au son approcha, brandissant vers Jeanne son micro au bout d'une perche.

— C'est vrai, dit Tom, déçu pourtant qu'elle n'applaudît pas à son esprit inventif. Je pense que ça m'amuse de commencer par une séquence où la fille du portrait arrive à la gare pour retrouver son fiancé.

— Et alors tu m'embrasses, en sachant que c'est un film. Lâche!

Préoccupé qu'il était par son film, Tom interpréta simplement la colère de Jeanne comme une preuve de sa candeur. D'un geste doux, il lui caressa la joue.

— Avant tout, dit-il, c'est une histoire d'amour, tu verras.

La caméra filmait toujours.

— Maintenant, dis-moi, Jeanne, reprit Tom, qu'est-ce que tu as fait pendant que je n'étais pas là?

Sans une seconde d'hésitation elle répondit :

— J'ai pensé à toi nuit et jour en criant : Chéri, je ne peux pas vivre sans toi!

Cela fit grosse impression. Comme les imbéciles et les enfants sont insensibles au sarcasme, Tom ne réagit pas. Pour lui, Jeanne jouait enfin le rôle dans lequel il l'avait imaginée, et il était radieux. Sa performance de comédienne le comblait d'aise.

— Magnifique! cria-t-il avec un geste vers le cameraman. C'était parfait. Coupez!

3

Dans une petite rue étroite à la chaussée encore re-
couverte de pavés inégaux et où deux voitures se croisaient avec peine, dans un quartier où l'on entendait
aussi couramment parler l'italien ou l'anglais que le
français, se trouvaient plusieurs petites pensions de
famille. Ces petits hôtels avaient leur lot de locataires
habituels — peintres et intellectuels dépassés, comé-
diens ratés, parfois une ou deux prostituées — et ils
occupaient leurs autres chambres avec des voyageurs
de passage et des membres de la fraction la moins re-
luisante du demi-monde de Paris, déserteurs, drogués,
proxénètes et criminels à la petite semaine. Un lien
ténu unissait tous ces types disparates : ils partageaient tous une certaine forme d'échec et un même
local. Les relents d'ordures et de vin aigri, le fracas
des camionnettes de livraison sur le pavé, les cla-
meurs du juke-box du bar du coin, mille agissements
furtifs et d'autant plus furtifs qu'ils étaient illégaux,
tout cela c'était monnaie courante pour la plupart des
habitants de la rue, tout comme les lits durs et
étroits, à peine un repas convenable par jour, et l'envie d'avoir du beau temps.

Paul habitait la rue depuis cinq ans, dans une de
ces pensions tenue par la femme qu'il avait épousée.

27

Comme elle s'était suicidée, cela voulait dire que le petit hôtel était maintenant sa propriété, mais ce n'était pas là une perspective qui l'emplissait de joie, car il méprisait l'hôtel et tout ce qu'il représentait.

Pendant plusieurs heures après son retour de la rue Jules-Verne, il trouva un prétexte après l'autre pour ne pas se rendre dans la chambre où sa femme s'était tuée. Mais vers l'heure du déjeuner, la femme de chambre n'était toujours pas descendue et Paul, curieux, gravit l'escalier recouvert de moquette usée. Le gémissement d'un saxophone retentissait dans tout l'hôtel, venant d'une chambre au fond de la cour où un Algérien noir et sa femme vivaient dans un contentement relatif. L'Algérien, un musicien autodidacte, jouait du saxo à toute heure, mais Paul ne lui avait jamais demandé de s'arrêter, non qu'il aimât sa musique, mais parce qu'elle ne lui semblait pas plus désagréable que les bruits de la rue et les plaintes de ses pensionnaires. Elle avait des accents tout à la fois sensuels et d'une immense tristesse. Et cela aussi semblait à Paul d'une parfaite futilité.

Au second étage, Paul poussa l'une des portes anonymes et se trouva aussitôt confronté à ce qui paraissait être le décor d'un massacre. On aurait dit qu'il y avait du sang partout : il avait éclaboussé le carrelage de la salle de bains, ruisselé le long du rideau de la douche qui pendait par-dessus le rebord de la baignoire et tacheté la glace au-dessus du lavabo. C'était à croire que plusieurs personnes avaient été tuées là, tant la chambre donnait une impression de violence sanglante.

Paul était partagé entre la nausée et la colère. Sans dire un mot, il traversa la pièce et se planta devant la fenêtre, attendant que la femme de chambre eût fini de nettoyer la baignoire. Il avait envie de pleurer, mais il en était incapable : il était comme engourdi.

Il ne savait absolument pas pourquoi sa femme avait fait cela, et cette ignorance rendait son chagrin plus absurde et plus esseulé encore. Il n'y avait peut-être aucune raison, sinon de le déconcerter.

L'eau coulait à flots du robinet. La femme de chambre vida dans la baignoire un seau de sang dilué, puis se redressa et dévisagea Paul d'un air morne.

Paul regardait dans la cour. Son regard plongeait dans la chambre où l'Algérien continuait de jouer du saxo ténor. L'homme avait les joues gonflées, et les muscles de ses biceps faisaient saillie tandis que ses doigts serraient les touches et levaient l'instrument au-dessus de sa tête. Sa femme, agenouillée devant lui, était en train de recoudre avec patience un bouton à sa braguette. Lorsqu'elle eut terminé, elle coupa le fil d'un coup de dents, et ce geste, sans qu'elle s'en rendît compte, approcha sa bouche de l'aine de son compagnon.

— Je voulais faire le ménage, expliqua la femme de chambre, mais la police n'a pas voulu. Ils ne croyaient pas au suicide... Il y a trop de sang partout.

Elle lança dans un coin la serpillière ensanglantée et elle en prit une autre. Puis elle s'agenouilla et se mit à essuyer le carrelage.

— Ils se sont amusés à me faire rejouer la scène, dit-elle en imitant les voix des policiers. « Elle est allée ici... et puis là... elle a tiré le rideau », j'ai tout fait comme elle. (Elle s'interrompit pour gratter avec son ongle un peu de sang séché.) Les clients n'ont pas fermé l'œil de la nuit, l'hôtel était plein de flics. Et ils étaient là à inspecter tout ce sang. De vrais espions !

Paul regarda autour de lui. Le lit de cuivre aux montants ternis, la penderie éraillée, le paravent délabré sur lequel s'envolaient des oiseaux japonais : le décor typique de tous les hôtels de troisième ordre en France, et c'était pourtant ce décor que Rosa avait choisi pour mettre fin à ses jours. La chambre sentait la mort avant même son suicide.

La femme de chambre lança son chiffon dans un seau à demi plein d'une eau ensanglantée. Elle se mit à rincer le rideau de la douche.

— Ils voulaient savoir si elle était triste. Si elle était heureuse. Si vous vous disputiez, si vous vous tabassiez. Et puis quand vous vous êtes mariés. Pourquoi vous n'aviez pas d'enfant. Les salauds! Ils m'ont traitée comme si j'étais de la crotte.

Elle avait la voix vide de toute émotion. Paul savait bien que, pas plus que les autres employés de l'hôtel, elle n'aimait Rosa, parce que celle-ci s'intéressait sincèrement à leurs petites vies mesquines et qu'ils en étaient arrivés à attendre plus qu'ils ne méritaient.

— Et puis, reprit la domestique, ils ont dit : « Un type nerveux, votre patron. Vous saviez qu'il a été boxeur? » Et alors? Et puis il a été acteur, et puis joueur de bongo. Révolutionnaire au Mexique, journaliste au Japon. Un jour il débarque à Tahiti, il traîne là-bas, il apprend le français...

C'était une liste des exploits dont il avait jadis été fier, mais que, depuis quelques années, il commençait à trouver dépourvus d'intérêt. Rosa aurait pu changer tout ça.

— Et puis il arrive à Paris. (La femme de chambre continuait son rapport :) Et là, il rencontre une femme qui a de l'argent, et il l'épouse... Qu'est-ce qu'il fait, votre patron? Il se fait entretenir. (Elle haussa les épaules, sans lever les yeux de son travail.) Et moi je dis : « Je peux faire le ménage maintenant? » Et ils me disent : « Ne touchez à rien. Vous croyez vraiment qu'elle s'est tuée? »

Elle se redressa et s'essuya les mains sur son tablier.

— Alors il m'a poussée dans un coin en essayant de...

— Pourquoi est-ce que vous n'arrêtez pas l'eau? fit Paul l'interrompant.

Elle repoussa sur son front quelques mèches graisseuses, se pencha et ferma brusquement le robinet.

— Maintenant ça va, dit-elle, en inspectant la chambre, comme si elle n'avait rien fait de plus que nettoyer un peu après le passage d'un pensionnaire désordonné. On ne voit plus rien.

Paul se retourna et contempla la grande valise vide posée sur le lit. Elle contenait autrefois des souvenirs de Rosa, toute une collection de lettres, de photographies et de divers objets : il y avait un col de prêtre, dont il était bien incapable d'expliquer la présence. Tout cela, il l'avait caché à la police, non pas parce qu'il avait peur de les voir en examiner le contenu, mais parce qu'il voulait leur refuser ce plaisir. Ces souvenirs ne lui avaient donné aucune indication sur les raisons pour lesquelles Rosa s'était tuée; il avait même du mal à les rattacher à son existence. Il croyait qu'il connaissait sa femme, qu'il avait fini par établir un contact durable avec un autre être humain, mais il s'était trompé. La vie de Paul avait été une succession d'abandons romantiques dans des liaisons vouées à l'échec; chaque fois qu'il s'était lié à quelqu'un — et le plus souvent au hasard des rencontres — cela n'avait abouti à rien. Quand il était jeune, ça ne semblait pas avoir d'importance, mais il en était récemment arrivé à se dire qu'il ne durerait pas éternellement, et qu'il risquait bien de mourir tout seul.

— Qu'est-ce qu'ils ont dit à propos de la valise? demanda-t-il.

— Ils ne croyaient pas qu'elle était vide. Tant pis pour eux.

Nonchalamment, la femme de chambre prit dans la poche de son tablier un vieux rasoir de coiffeur et le tendit à Paul.

— Voici votre rasoir, dit-elle.

— Il n'est pas à moi.

— Ils n'en ont plus besoin. L'enquête est terminée.

Paul passa le pouce sur le tranchant émoussé et froid de la lame, tâta le manche d'os bien lisse. C'était avec cet instrument que Rosa s'était donné la mort, et il n'allait pas s'en séparer.

— Ils m'ont dit de vous le rendre, dit-elle en guettant sa réaction.

Paul fourra le rasoir dans la poche de sa veste.

— Rangez la valise, dit-il.

Elle s'avança pour lui obéir.

— C'est fou ce qu'il y avait d'entailles sur son cou.

Paul l'interrompit aussitôt.

— Ils feront une autopsie, dit-il — et il quitta la chambre.

L'inspiration du joueur de saxo avait changé. La mélodie grave et sonore était plus sensuelle que mélancolique, et les pensées de Paul revinrent à la fille et aux événements de la matinée. La notion de sexe sans amour, vide de toute émotion, convenait à l'état d'esprit morbide dans lequel il était. C'était une façon de se réchauffer, si brièvement que ce fût, contre la pauvreté du désir humain et la certitude de la mort. Il y avait des meubles entreposés dans la cave de l'hôtel, et il avait déjà pris ses dispositions pour qu'on les livrât là-bas. L'idée de faire certaines concessions conventionnelles lui plaisait. En installant quelques pauvres meubles dans l'appartement de la rue Jules-Verne, il affirmerait sa présence.

Paul descendit l'escalier de l'hôtel et il sortit, s'arrêtant à peine pour attraper son manteau au passage. Il y avait toujours la possibilité que la fille ne revînt pas à l'appartement, mais il ne prit même pas le temps de l'envisager.

4

Jeanne prit l'ascenseur, sans vraiment savoir pourquoi. La vieille machine geignait et soupirait, menaçant de ne jamais arriver jusqu'au cinquième. Une partie d'elle-même souhaitait ne jamais revoir cette entrée sans air, toujours vide et n'offrant pour tout spectacle que cette concierge folle, assise le dos tourné à sa minuscule fenêtre et fredonnant inlassablement. Jeanne avait essayé de se persuader qu'en réalité elle comptait louer l'appartement au cas où l'homme qu'elle avait rencontré là-haut ne l'aurait pas effectivement loué. Mais ce n'était pas l'appartement qu'elle voulait maintenant.

Elle pressa le bouton de sonnette, puis pressa encore, presque aussitôt. Rien ne bougeait dans ce caveau hors du temps qu'elle se représentait dans des nuances automnales, dans des rouges et des ors fanés. Elle serrait la clef si fort qu'elle en avait la paume moite.

Une porte s'ouvrit à l'étage au-dessus, puis il y eut un bruit de pas. Jeanne fut brusquement prise d'une peur totalement irraisonnée. Elle ne savait pas ce qu'elle redoutait le plus : être vue ou bien être chassée du seuil de l'aventure. D'un geste impétueux, elle introduisit la clef dans la serrure, la tourna et poussa la porte. L'appartement aussitôt l'accueillit, et elle se sentit chez elle. Elle referma rapidement la porte, sans même jeter un coup d'œil derrière elle.

Jeanne se retourna pour faire face à l'étroit couloir reliant les diverses pièces entre elles et avança lentement. Tout était comme elle en avait gardé le souvenir. Le soleil avait tourné, jetant ses reflets d'or brûlé contre le mur opposé de la pièce rouille. Dans cette douce lumière, les taches d'eau et les accrocs dans les tentures aux murs faisaient songer au fin tracé d'un électrocardiogramme. L'excitation et le sentiment d'incrédulité qu'elle avait connus ce matin revinrent. Cette rencontre l'avait laissée sur sa faim : elle ne pouvait pas s'empêcher d'y penser, même quand elle se faisait filmer par Tom. Elle ne savait plus à quoi s'attendre maintenant.

Quelque chose bougea. Jeanne pivota sur ses talons et aperçut dans le coin auprès du radiateur un gros chat jaune, tapi dans l'ombre, et qui l'observait. Elle tapa du pied et s'avança vers le chat, en sifflant comme si elle était vraiment sa rivale. Elle était agacée par l'intrusion de cet animal, par la façon dont il la toisait sans vergogne. Le chat bondit sur l'appui de la fenêtre entrouverte et disparut. Elle le poursuivit jusque là mais se surprit à regarder les toits, et elle aperçut au loin la silhouette de la tour Eiffel dominant le paysage, bien installée dans son décor, qui avait l'air de se moquer d'elle. Sur l'autre rive de la Seine, la sirène d'une voiture de police approcha puis s'éloigna. Une fois de plus, l'appartement lui semblait un havre.

— Y'a personne? fit une voix dans le couloir.

Un instant, l'affolement que Jeanne avait éprouvé un peu plus tôt la reprit. Elle serra la clef et la brandit devant elle comme une pitoyable lance.

Elle s'attendait à voir un homme trapu dans un manteau en poil de chameau. Au lieu de cela, elle vit les pieds d'un fauteuil apparaître dans le couloir, soutenus par une paire de jambes humaines dans une salopette d'un bleu délavé s'achevant sur des chaussures fatiguées. Le fauteuil descendit, révélant un déménageur au béret de guingois, une Gauloise au coin des lèvres.

— Alors, ma petite dame, dit-il avec un fort accent marseillais, où est-ce que je le mets?

Jeanne était trop surprise pour parler. L'homme s'avança jusqu'au milieu de la pièce sans attendre une réponse et reposa le fauteuil.

— Vous auriez pu sonner, fit-elle — et aussitôt elle se sentit parfaitement stupide.

— La porte était ouverte.

Le déménageur détacha la cigarette de ses lèvres et exhala de la fumée par les narines. Le bout du mégot était humide et marron.

— Je peux le mettre là? demanda-t-il en désignant le fauteuil.

— Non. Devant la cheminée, fit Jeanne d'un ton catégorique.

L'air maussade, il déplaça le fauteuil et sortit de la pièce. Jeanne décida elle aussi de partir. Mais, au moment où elle arrivait à la porte, elle se trouva nez à nez avec un second déménageur, traînant derrière lui plusieurs chaises.

— Et les chaises? demanda-t-il.

Puis sans attendre il se mit à les disposer en cercle au milieu de la pièce.

Le premier déménageur revint avec une table, une table ronde en merisier taché, avec un lourd pied central marqué de profondes rayures. Elle n'allait pas avec les chaises — de fausses chaises Regency dans un bois teinté acajou, et Jeanne se demanda si ce mobilier appartenait à l'Américain. Pour elle qui travaillait dans un magasin d'antiquités, cela paraissait un assemblage bien hétéroclite, elle ne pouvait se douter que c'étaient des meubles pris dans diverses chambres d'un vieil hôtel.

— Et la table, qu'est-ce que j'en fais? demanda le déménageur.

— Je ne sais pas, répondit Jeanne, faisant semblant d'être chez elle. C'est lui qui décidera.

L'intrusion des déménageurs gâta l'humeur de Jeanne. L'appartement était loué. Elle repartit vers le couloir, décidée à abandonner les lieux, mais une fois de plus elle trouva la route barrée, cette fois par les deux hommes qui se débattaient sous le poids d'un grand matelas de deux personnes. Ils déchargèrent leur fardeau dans une petite pièce qui donnait dans le couloir. Le matelas débordait.

Elle leur donna dix francs à chacun et ils s'en allèrent.

Maintenant, elle était libre. Elle pouvait fuir. Mais le bruit de la serrure la figea sur place. Elle regarda dans le couloir et aperçut le large dos de Paul drapé dans son manteau.

Pour la première fois de sa vie, Jeanne eut vraiment peur de quelqu'un. Son esprit s'agitait en tout sens comme un oiseau pris au piège. Pourquoi n'était-elle pas partie plus tôt, quand elle en avait la possibilité? Battant en retraite, elle se jeta dans le gros fauteuil, nouant ses bras autour de ses longues jambes dans une attitude de soumission. Elle tendit l'oreille, guettant le bruit des pas qui approchaient, et détourna la tête de façon à lui faire face lorsqu'il entrerait.

Elle était prête à manifester sa surprise, mais ce fut à peine s'il jeta un coup d'œil dans sa direction lorsqu'il entra dans la pièce. Les mains enfoncées dans les poches de son manteau, il arpentait le grand salon rond, inspectant les meubles avec une expression légèrement désapprobatrice.

Il s'approcha du fauteuil où était Jeanne. Elle aurait voulu lui parler de la clef, lui expliquer qu'elle était simplement venue pour la rendre, mais elle ne voulait pas être la première à parler. Il y avait toujours une chance pour qu'il indiquât par ses propos que sa présence était la bienvenue.

Ses premières paroles furent un ordre :

— Il faut mettre le fauteuil devant la fenêtre.

Sans lui laisser le temps de répondre, il s'empara du fauteuil et, avec une force impressionnante, le souleva à moitié avec elle encore assise dedans et vint le déposer à l'autre bout du salon, devant la fenêtre. Il se recula, ôta nonchalamment son manteau qu'il jeta sur le dossier d'une chaise. Il portait une veste à chevrons grise et un chandail à col roulé qui lui donnait un air juvénile. Il s'était rasé depuis ce matin et s'était soigneusement brossé les cheveux. Il avait un air presque distingué. Elle espérait que c'était pour elle qu'il s'était ainsi soigné. Sa crainte diminua. Pourtant ce fut d'un ton qui était encore sur la défensive qu'elle dit :

— Je suis venue rapporter la clef.

Il ne releva pas sa remarque.

— Venez m'aider, ordonna-t-il.

Son ton interdisait tout refus. Jeanne se leva comme au garde-à-vous, et ôta son manteau, parfaitement consciente du fait qu'elle ne portait rien sous sa jupe. Elle secoua la tête, et une masse de boucles châtain vint tomber en cascade sur ses épaules. Ses seins amples pointaient vigoureusement sous le tissu léger de sa robe. Mais Paul avait l'esprit ailleurs.

— Vous n'avez pas perdu de temps pour faire apporter vos meubles. (Elle désigna la clef qu'elle avait laissée sur la table.) Je suis venue vous la rendre.

— Qu'est-ce que ça peut me foutre?

Il souleva une chaise et la lui tendit, la regardant pour la première fois.

— Mettez les chaises autour de la table, ordonna-t-il.

Jeanne haussa les épaules et obéit. En même temps qu'elle éprouvait un plaisir pervers à se laisser donner des ordres par cet homme étrange, qui ne respectait aucune bienséance, cela l'agaçait aussi.

— J'allais jeter la clef, dit-elle sans se retourner. (Et elle fit glisser ses doigts sur le dossier raide et lisse de la chaise. En haut, il était arrondi et creusé de cannelures. De l'index, elle suivit lentement le grain du bois, tout en examinant son ongle long et effilé.) Mais je n'ai pas eu le courage de la jeter, reprit-elle. Quelle idiote je suis.

C'était un petit aveu, et elle était certaine qu'il allait réagir. Elle révélait le désarroi dans lequel elle était, et il n'allait sûrement pas manquer de compatir. Après tout, lui aussi était un être humain, même si l'on sentait chez lui une violence latente.

Jeanne se tourna pour lui faire face et découvrit qu'elle était seule dans la pièce.

— Hé, vous! fit-elle d'un ton irrité. (Sa déception n'avait d'égale que son incrédulité : il s'en fichait vraiment, et elle avait du mal à le comprendre après ce qui s'était passé ce matin.) Où êtes-vous? Il faut que je m'en aille.

Pas de réponse. Un moment, elle crut qu'il était parti, mais son manteau était toujours là. La peur qu'elle avait éprouvée lui revint.

Elle traversa le salon le cherchant derrière les meubles recouverts d'un drap, puis dans le couloir.

Il était planté à l'entrée de la petite chambre, à contempler l'énorme matelas, une main sur la hanche, l'autre appuyée contre le mur.

— Le lit est trop grand pour la pièce, déclara-t-il, comme si ça n'était pas évident.

— Je ne sais comment vous appeler, dit Jeanne.

— Je n'ai pas de nom.

Cette déclaration bizarre troubla Jeanne.

— Vous voulez savoir le mien? demanda-t-elle.

— Non.

— C'est...

Elle ne vit même pas le coup arriver. On aurait dit qu'il avait simplement secoué le poignet, mais la violence avec laquelle le revers de sa main vint la frapper lui fit partir la tête de côté. Jeanne resta bouche bée, les yeux ronds de surprise, de colère et de peur.

— Je ne veux pas savoir votre nom, dit-il d'un ton menaçant, en la regardant droit dans les yeux. Vous n'avez pas de nom et je n'ai pas de nom non plus. Pas de nom ici. Absolument pas!

— Vous êtes fou, murmura Jeanne en portant la main à sa joue.

Elle se mit à pleurer doucement.

— Peut-être. Mais je ne veux rien savoir de vous. Je ne veux pas savoir où vous habitez ni d'où vous venez. Je ne veux rien savoir. Rien! Vous comprenez? (Il criait presque.)

— Vous m'avez fait peur, dit-elle en essuyant les larmes sur ses joues.

— Rien, répéta-t-il. (Il parlait d'un ton plus doux maintenant, et ses yeux étaient fixés sur ceux de Jeanne.) Vous et moi nous nous retrouverons ici, sans rien savoir de ce qui se passe dehors.

Il avait dit cela d'un ton d'un hypnotiseur qui veut persuader le sujet de quelque chose.

— Mais pourquoi? demanda-t-elle d'une toute petite voix.

Paul n'éprouvait pour elle aucune pitié. Il s'approcha et posa une main sur sa gorge. La peau était lisse et douce, et l'on sentait dessous les muscles crispés.

— Parce que, dit-il, nous n'avons pas besoin de noms ici. Nous allons oublier tout ce que nous savions, les gens que nous connaissons, ce que nous faisons, où nous habitons. Nous allons tout oublier.

Elle essaya d'imaginer cela.

— Mais moi, je ne pourrai pas. Et vous?

— Je ne sais pas, avoua-t-il. Ça vous fait peur?

Elle ne répondit pas. Lentement Paul se mit à défaire les boutons de sa robe. Il se pencha pour l'embrasser, mais Jeanne recula.

— Assez pour aujourd'hui, dit-elle, les yeux baissés. Laissez-moi partir.

Paul la tenait par le bras. Elle était toute molle.

— Demain, murmura-t-elle. (Elle lui prit la main et y déposa un baiser.) Je vous en prie, j'aurai plus envie de vous demain.

Ils étaient là à se regarder, plantés l'un devant l'autre — le ravisseur et sa proie fragile —, tous deux ne sachant pas trop ce qui allait se passer.

— Très bien, finit-il par dire. D'accord. Comme ça, ça ne deviendra pas une habitude.

Il pencha la tête vers la sienne, prenant les cheveux de Jeanne dans sa main, humant son parfum.

— Ne m'embrassez pas, dit-elle. Si vous m'embrassez, je n'arriverai pas à partir.

— Je vais vous accompagner jusqu'à la porte.

Ils prirent le couloir d'un pas lent, comme s'ils répugnaient à se séparer. Ils ne se touchaient pas, mais chacun avait violemment conscience du corps de l'autre, de cette proximité, de toutes ces possibilités vagues et tentantes. C'était le lien qui existait entre eux. Paul lui ouvrit la porte et Jeanne sortit sur le palier.

Elle se retourna pour dire au revoir, mais la lourde porte était déjà refermée.

5

Paul n'éprouva aucune joie après le départ de
Jeanne, seulement le sentiment sans gaieté de domi-
ner une situation. Il ne s'attendait à rien de plus et,
même ça, il l'avait oublié lorsqu'il regagna son hôtel,
pour sentir les odeurs bien réelles de poisson pourri
là où on avait renversé une poubelle dans le caniveau
de sa rue; et lorsqu'il entendit des hurlements, il crut
tout d'abord que c'étaient des cris de douleur, jusqu'au moment où il se rendit compte que c'était un
bébé qui pleurait. Il se demanda si Rosa avait poussé
des hurlements dans ses derniers instants, puis il se
dit qu'elle avait dû le quitter en silence, un peu
comme elle avait vécu avec lui. Cela et le fait qu'elle
l'avait quitté sans explications étaient comme autant
de couteaux qu'on retournait dans la plaie dont Paul
saignait encore. La vie, dans l'ensemble, était sordide
et moche, c'était une épreuve : chaque bruit un peu
violent, la moindre irritation le faisaient sursauter, et
parfois c'était à peine s'il parvenait à maîtriser la violence de ses réactions.

Le vestibule de la pension était désert. Derrière le
petit bureau, sur lequel était seul posé le registre fati-
gué — que Paul ne tenait que parce que la loi l'exi-
geait, et non parce que cela l'intéressait de connaître

le nom de ses clients —, la porte de la chambre était ouverte. Il y avait quelqu'un dans la pièce. Il ôta sans bruit son manteau, le posa sur le bureau de la réception et se glissa silencieusement par la porte. Il aurait accueilli avec plaisir une bagarre, mais il s'aperçut que c'était sa belle-mère qui était là, une robuste femme entre deux âges, vêtue d'un manteau noir et coiffée d'un chapeau avec un voile. Elle avait les yeux rouges et battus. Toute la couche de poudre qu'elle s'était appliquée ne parvenait pas totalement à masquer la pâleur malsaine de sa peau. Elle était plantée devant un tiroir ouvert de la commode de Paul, fouillant frénétiquement parmi les affaires de Rosa.

Il ne la dérangeait pas. Mère — c'était comme ça qu'elle lui avait demandé de l'appeler, et ça lui avait paru assez facile — lui inspirait des sentiments mêlés, et qui n'étaient pas tous hostiles. Elle et son sycophante de mari appartenaient à cette petite bourgeoisie qu'il méprisait, mais il savait qu'elle avait aimé sa fille et qu'elle s'était efforcée vainement de la comprendre. Paul était persuadé d'être le seul à comprendre Rosa, et les circonstances horribles dans lesquelles il avait découvert hier soir à quel point cette supposition était ridicule le rendaient aujourd'hui plus tolérant envers la mère de Rosa. Après tout, c'était Mère qui avait décidé de leur laisser l'hôtel à gérer, mais au fond ce n'était peut-être pas si bien que ça. Ils auraient peut-être eu une chance s'ils avaient quitté Paris...

Elle se retourna et l'aperçut. Pendant quelques secondes, ils hésitèrent, puis chacun fit rapidement quelques pas vers l'autre, et ils s'étreignirent. Paul la sentait très solide dans ses bras, et il se rappela ses voyages dominicaux où Rosa et lui prenaient le train pour aller la voir dans le petit pavillon où elle habitait avec son mari, près de Versailles. La spécialité de Mère, c'était le ragoût, qu'elle servait avec un petit vin blanc sec et légèrement pétillant qui ne donnait absolument pas la gueule de bois.

— J'ai pris le train de 5 heures, annonça-t-elle. (Elle tourna vers lui des yeux las, tout embués de chagrin.) Oh, mon Dieu, Paul! s'écria-t-elle.

Il ne trouvait rien à lui dire, et il redoutait ses questions. Peut-être se rendrait-elle compte à quel point toute question était vaine. Elle se retourna et se mit à fouiller machinalement parmi les bouts de papier, les boutons, les broches et autres objets personnels répandus sur la table de chevet, auprès du lit de Paul.

— Papa est couché avec une crise d'asthme, dit-elle. (Ni elle ni Paul ne regrettaient qu'il ne fût pas venu, puisque jamais il n'avait approuvé la façon dont vivaient Paul et Rosa, mais il n'avait jamais eu le courage de le leur reprocher.) Le docteur n'a pas voulu le laisser sortir. Ça vaut mieux comme ça. Je suis plus forte.

Elle se dirigea vers la penderie et l'ouvrit sans lui demander la permission. Elle fouilla parmi les robes de Rosa et passa la main sur l'étagère du haut. L'un après l'autre, elle prit les sacs à main de Rosa et les aligna sur le lit. Elle les retourna successivement, sans rien découvrir qu'un vieux bâton de rouge à lèvres.

— Qu'est-ce que vous cherchez? demanda Paul, son agacement ne faisant que croître. (Il sentait se dissiper le peu de chaleur que brusquement il y avait eu entre eux.)

— Quelque chose qui m'expliquerait, dit Mère. Une lettre, un indice. Ça n'est pas possible que ma Rosa n'ait rien laissé pour sa mère. Pas même un mot.

Elle se mit à pleurer, secouée de longs sanglots. Paul ramassa les sacs et les remit en place, puis referma la porte de la penderie. Tout en haut, il y avait

44

l'étagère qui contenait les souvenirs de Rosa, et il la contempla longuement. Il n'y avait aucune raison de ne pas lui laisser voir ces choses-là, puisqu'elles n'expliquaient rien.

— Je vous l'ai dit au téléphone, reprit-il. Elle n'a rien laissé. C'est inutile de continuer à chercher.

Il ramassa sa valise, une grande valise de toile qui semblait trop lourde pour simplement un bref séjour. Il ne tenait pas à ce qu'elle restât longtemps à l'hôtel, car sa vue lui rappelait Rosa et tous les problèmes restés sans solution.

— Il faut vous reposer, lui dit-il d'un ton qui ne souffrait pas la contradiction. Vous en avez besoin. Il y a des chambres de libres en haut.

Paul la guida vers l'escalier. Mère remarqua combien la moquette était usée, comment elle avait tendance à s'effilocher au bord de chaque marche; elle observa aussi que l'abat-jour en verre de la lampe de cuivre auprès du bureau était fêlé, et que les rideaux tendus sur les vitres en verre dépoli de la porte d'entrée n'avaient pas été lavés depuis un an. Il flottait aussi dans l'hôtel une odeur dont elle ne se souvenait pas, — des relents de vieux camembert — et elle se félicita une fois de plus que son mari ne l'eût pas accompagnée.

Ils croisèrent un couple noir dans l'escalier. C'était l'Algérien qui jouait du saxophone et sa femme, tous deux vêtus de manteaux un peu trop grands, et tous deux souriant en exhibant des dents blanches et saines. Paul les salua de la tête, mais Mère se contenta de s'arrêter sur la marche et de les regarder descendre. Du temps où c'était elle qui dirigeait l'hôtel, jamais on n'avait loué de chambres à des nègres, et elle leva vers Paul un regard stupéfait. Il la toisa froidement, ses yeux n'exprimant rien. Il n'allait pas faciliter ces jérémiades, et se retourna sans lui laisser le temps de dire un mot puis reprit son ascension.

Les portes avaient toutes l'air d'avoir besoin d'être repeintes, et cela les faisait paraître encore plus anonymes. Derrière l'une d'elles, on entendait la femme de chambre qui passait l'aspirateur. Paul ouvrit la suivante et s'effaça pour laisser entrer Mère. Sur la minuscule commode il y avait une bouteille et un verre de lait, mais pas de fleurs. Il posa sa valise au milieu du lit qui s'affaissa dans un grand soupir de ressorts fatigués.

— Avec un rasoir? demanda Mère.

Paul tressaillit. Il savait que la question allait venir et pourtant il n'y était pas préparé. Y répondre, c'était un peu comme céder à la nausée.

— Oui, dit-il sans passion.

— Quand est-ce que c'est arrivé?

Paul se dit qu'il allait expliquer une fois pour toutes, et qu'après cela il n'en reparlerait jamais, en aucune circonstance.

— Je ne sais pas, commença-t-il. J'étais de nuit. Le dernier client est rentré vers 1 heure. J'ai fermé et...

Il ferma les yeux, revit la scène : une petite chambre aspergée de plus de sang qu'il ne l'aurait cru possible. Rosa, affalée dans sa baignoire, toujours redoutable et austère, même dans cette mort grandguignolesque. Il n'avait pu aller plus loin que le lit, non pas parce qu'il ne pouvait pas supporter ce spectacle, mais parce qu'il avait peur du rasoir et de ce qu'il pourrait en faire. Elle aurait pu le préparer : avoir un geste, un mot, quelque chose pour atténuer le coup et rendre son acte compréhensible. Elle aurait pu s'arranger pour que ce fût la femme de chambre ou le portier, Raymond, qui découvre cette horreur. Est-ce qu'elle voulait le faire souffrir encore plus ou bien s'en fichait-elle éperdument? Dans les deux cas, c'était épouvantable.

46

— Elle s'est tuée dans la soirée, dit-il, pour terminer.

— Et ensuite?

Sa voix était comme un écho : il aurait beau dire n'importe quoi, Paul savait qu'il y aurait toujours une autre question après.

— Je vous ai déjà raconté, dit-il, soudain très las. Quand je l'ai trouvée, j'ai appelé une ambulance.

Il ressortit dans le couloir avant qu'elle ait eu le temps de poursuivre. La chambre dont ils parlaient était juste en face, et Paul crut entendre l'eau couler dans la baignoire. Il colla son oreille au bois rugueux de la porte. Mère avait commencé à défaire sa valise sans s'apercevoir qu'il était parti.

— Après votre coup de téléphone, dit-elle, nous avons veillé toute la nuit, à parler de Rosa et de vous.

Paul se demanda si la femme de chambre avait laissé l'eau couler. Elle aurait pu le faire par méchanceté, ou bien parce qu'elle avait peur que le sang ne bouche la tuyauterie. Elle était très superstitieuse, mais Paul ne pensait pas qu'elle se fût attardée dans cette chambre.

Il revint dans celle de Mère. Elle était en train de poser avec soin ses affaires : articles de toilette, une chemise de nuit bien chaude, une robe noire pour l'enterrement. Elle regardait tout cela d'un air approbateur.

— Papa parlait à voix basse, continua-t-elle, comme si tout cela était arrivé chez nous.

Elle le regarda avec une expression curieuse et qui lui parut grotesque.

— Où est-ce que ça s'est passé? demanda-t-elle.

— Dans une des chambres. (Paul parlait avec un certain mépris, prononçant le mot « chambre » comme s'il s'agissait d'un grand salon.) Qu'est-ce que ça change?

— Sait-on si elle a souffert?

« Comment n'aurait-elle pas souffert? songea Paul. Et pourquoi avait-elle fait ça? »

— Il faudra demander aux médecins. (Et il ajouta avec un plaisir pervers :) Ils font une autopsie.

Elle ouvrit la bouche avec ahurissement. Dans son esprit, l'idée d'autopsie était associée à celle de crime, de déshonneur, et ça elle ne pouvait pas le supporter.

— Pas question d'autopsie, dit-elle, comme si elle avait son mot à dire.

Paul tourna les talons et traversa le couloir pour gagner l'autre chambre. Il tourna le bouton de la porte, brusquement celle-ci s'ouvrit. La chambre était vide, comme si rien n'était arrivé. L'eau coulait doucement dans la baignoire. Il traversa la pièce pour aller fermer le robinet, contempla l'émail bien blanc. Il devrait peut-être amener Mère ici pour lui montrer le lieu où sa fille s'était suicidée, peut-être que cela la satisfairait. Paul ferma le robinet plus fort, mais s'arrêta avant de casser le joint. La chambre était si banale, c'était peut-être pour cela que Rosa l'avait choisie.

De l'autre côté du couloir, Mère commençait à déballer des paquets de cartes et d'enveloppes. Elles étaient toutes bordées de noir, et ne servaient que pour des faire-part de décès. C'était ce qui restait des enterrements d'autres membres de sa famille, et elle se flattait de connaître à fond le protocole dans ces pénibles circonstances. Elle s'occuperait comme il fallait des funérailles de sa fille : Rosa ne manquerait de rien. Paul l'inquiétait un peu. Elle avait toujours eu peur de lui, en même temps qu'elle reconnaissait son intense virilité. C'était différent de son mari à elle. Elle avait pensé jadis que Paul était le seul genre d'homme capable de maîtriser Rosa, et c'était pour cette raison qu'elle avait donné sa bénédiction au mariage de Rosa avec un soldat de fortune. C'était la formule de son mari.

Paul était debout sur le seuil, à regarder la collection de cartes et d'enveloppes. Mère en prit une et l'examina presque avec tendresse.

— Je les avais à la maison, dit-elle en évitant son regard. La mort, ça me connaît, hélas! Maintenant, je prends les choses en main. Je m'en vais faire une belle décoration dans la chambre, avec des fleurs partout.

Paul serra les poings. Il n'en pouvait plus.

— Les faire-part et la famille, dit-il d'un ton amer, les fleurs et les tenues de deuil... tout ça dans cette valise. Vous n'avez rien oublié, sauf une chose. Je ne veux pas de prêtre.

Un enterrement sans prêtre était impensable.

— Ce sera une cérémonie religieuse, balbutia-t-elle. Il faut un enterrement religieux.

— Rosa n'était pas croyante!

Ces paroles retentirent dans le couloir. Des portes s'ouvrirent, des clients passèrent la tête pour mieux entendre. Le suicide de Rosa avait jeté comme un voile de deuil sur tout l'hôtel, la plupart des clients glissaient furtivement dans les couloirs, soit parce que la mort leur faisait peur, soit parce qu'ils ne voulaient pas gêner. Paul ne savait pas très bien, et il s'en fichait éperdument.

— Il n'y a pas de croyants ici! cria-t-il, à l'intention des autres.

— Ne criez pas, Paul, fit Mère en reculant hâtivement jusqu'au moment où le lit se trouva entre eux.

Paul hurla :

— L'Eglise ne veut pas des suicidés!

C'était absurde, et pourtant il se sentait déchiré par l'angoisse, par l'exaspération. Il crut un moment qu'il allait l'étrangler, mais il se retourna vers la porte et se mit à la frapper des deux poings, la poussant contre le mur. Elle trembla sur ses gonds et un grand silence s'abattit sur l'hôtel.

— On lui donnera l'absolution, reprit Mère, se remettant à pleurer. Je m'en occuperai. Nous allons faire dire une belle messe... (Puis elle s'assit sur le lit, le visage enfoui dans ses mains.) Vous savez ce que Papa a dit? fit-elle entre deux sanglots, incapable de retenir ce qu'elle croyait être la vérité, il a dit : « Ma petite fille a toujours été heureuse. Qu'est-ce qu'ils lui ont fait? Pourquoi s'est-elle tuée? »

Paul, lui aussi, aurait voulu pouvoir pleurer, pouvoir faire quelque chose, qui diminuât sa souffrance. Mais il ne pouvait rien faire.

— Je ne sais pas, dit-il. Je ne saurai jamais.

Maîtrisant sa colère, il tourna les talons et sortit précipitamment dans le couloir. La plupart des portes se fermèrent rapidement, les clients s'efforçant de ne pas montrer qu'ils écoutaient. Seules quelques-unes demeurèrent entrebâillées. Paul éprouvait un mépris profond pour les gens qui se trouvaient derrière ces portes, il aurait voulu les provoquer, mais il savait bien qu'aucun d'eux n'avait le courage de l'affronter. Leur existence était aussi dépourvue de but que la sienne, aussi méprisable.

Avec une assurance feinte, il s'engagea dans le couloir. Au passage, attrapant l'une après l'autre les poignées de cuivre ternies, il repoussait puis claquait avec force les portes indiscrètes.

6

A Paris, il y a des jours d'hiver où la brise semble arriver tout droit de la Côte d'Azur, où les platanes ont l'air un peu moins dénudés sur un fond de ciel sans nuages, et où un pâle soleil parvient à arracher à une terre glacée une odeur de vie. C'est trop tôt même pour un faux printemps, et pourtant une promesse flotte dans l'air. Le ciel a la couleur qui a fait la renommée de Paris — ce bleu tout à la fois lumineux et gris, rehaussé encore par les rouges et les jaunes des toiles de tente au-dessus des terrasses de cafés, par les gris des pierres au grain rugueux, et par l'étendue brune des eaux boueuses de la Seine.

Paul avait mal dormi, il avait passé presque toute la nuit assis dans un fauteuil; mais l'air étonnamment embaumé le revigora. De son côté, Jeanne, avant de sombrer dans un sommeil sans rêves, avait décidé de ne jamais le revoir, mais cette résolution était déjà moins ferme lorsqu'elle retrouva un jour tout neuf et un ciel clair, et elle disparut complètement avant même qu'elle eût terminé son café matinal. Tous deux arrivèrent à l'appartement de la rue Jules-Verne presque en même temps. Ils se déshabillèrent dans la petite chambre et leurs deux corps mêlés s'effondrèrent sur le matelas. La promesse de la veille était accomplie : leur abstinence n'avait fait qu'accroître leur excitation. Elle le serrait de toute la force de ses bras et de ses jambes, comme si elle cherchait à se faire protéger des paroxysmes mêmes où les entraînait leur passion.

Longtemps après, ils restèrent allongés côte à côte, sans se toucher, attendant qu'un son quelconque pénétrât les murs baignés d'un rouge doré par le soleil matinal. Mais rien ne vint. L'appartement les abritait comme une matrice.

Les cheveux de Jeanne étaient répandus comme une traînée de soleil sur la toile du matelas, en mèches lourdes et folles. Ses seins, même au repos, étaient fermes, et ils avaient à la fois la plénitude d'une femme mûre et sensuelle et la souplesse d'une adolescente. Leurs boutons étaient larges et sombres. Sa peau était claire, avec quelque chose presque de rayonnant. Elle avait les hanches étroites comme celles d'un garçon, ce qui bizarrement soulignait sa sensualité plantureuse.

Auprès du sien, le corps de Paul semblait simplement vaste et imprécis. Il était étendu à côté d'elle comme un dieu indulgent. Ses bras et son torse étaient encore puissants, et couverts d'une toison où l'on ne voyait pas un fil gris, mais il commençait à perdre sa musculature; son corps n'était pas en harmonie avec l'austérité de son visage, avec ses traits énergiques, sa vitalité sourde et farouche. Il semblait pris dans une brusque transition entre la jeunesse et l'aurore de la vieillesse.

Paul n'avait conscience du corps de Jeanne que de la façon la plus superficielle qui fût, puisque pour lui elle n'était guère plus que ce corps, qui se trouvait aujourd'hui donner asile à sa passion, qui rendait hommage à sa vanité et à ses prouesses sexuelles et qui ainsi l'isolait fugitivement de son désespoir. La

52

volupté qui émanait d'elle, il ne l'aurait pas remarquée si ses gestes ne l'avaient trahie. Jeanne, elle aussi, acceptait le corps de Paul sans se poser de questions, mais son attitude était totalement différente. Le premier assaut de Paul sur elle avait été la manifestation d'une puissance masculine écrasante, et c'était en termes de force qu'elle continuait à le voir et à le sentir. Elle ne voyait pas vraiment son corps, bien que sa présence fût massive. L'amour qu'elle commençait à éprouver pour lui était fondé sur cette puissance et renforcé encore par l'insistance qu'il mettait à garder le secret — et par là même son mystère.

Jeanne se souleva paresseusement et enfila son collant.

— J'aime bien faire l'amour, dit-elle, parce que c'est un exercice sain. Ça vous maintient le corps en forme, et ça aiguise l'appétit.

Elle sortit de la pièce sans le regarder et passa dans la salle de bains. Dans la glace, elle aperçut une fille aux cheveux en désordre, avec des pommettes hautes et larges, des lèvres plissées par une moue perpétuelle et des seins qui parfois lui semblaient presque encombrants. Son visage arborait une étonnante expression, tout à la fois superficielle et d'une sagesse insondable. Jeanne sentit brusquement un frisson la parcourir. Bien que le châssis vitré au-dessus de la baignoire inondât la salle de bains de lumière, les carreaux turquoise et blancs ne reflétaient que la froide réalité de l'hiver. Le temps avait fraîchi. Son corps lui parut exposé, privé de toute chaleur et elle claqua la porte derrière elle, comme si c'était une protection.

Paul ramassa ses vêtements. Il s'engagea dans le couloir pieds nus. L'idée de faire leur toilette et de s'habiller ensemble le séduisait, puisqu'il était déterminé à ne respecter aucune convention. Devant la porte fermée, il s'arrêta un instant. Il songea à entrer carrément — Jeanne était à cet instant dans un équilibre instable sur les lavabos jumeaux, en train de se laver, ses cuisses étreignant l'émail froid, car il n'y avait pas de bidet — mais il préférait qu'on l'invitât.

Il secoua le bouton de la porte.

— Fiche-moi la paix! cria-t-elle.

— Laisse-moi regarder.

— Ça n'est pas très intéressant.

— Ça dépend.

Les scrupules bourgeois de Jeanne l'amusaient et il cria :

— Tu es en train de te laver, je veux voir.

— Non! dit-elle d'un ton catégorique.

C'était si étrange qu'elle fût prête à renoncer à tout semblant de modestie lorsqu'elle faisait l'amour, mais qu'elle la retrouvât dans les mondanités qui suivaient. Elle se laissa glisser gracieusement du lavabo et ferma le robinet.

— J'ai fini, dit-elle, comme s'il n'entendait pas. Tu peux entrer maintenant.

Paul entra, d'un pas cérémonieux, ses vêtements sous un bras. Il les déposa au bord de la baignoire et s'avança tout nu jusqu'au lavabo, se plantant auprès de Jeanne. Elle avait disposé devant elle ses articles de toilette : rimmel, rouge à lèvres, un petit flacon de crème de beauté et elle commença à se maquiller, fronçant les lèvres, inspectant de côté ses cils, oubliant totalement la présence de Paul.

Paul riait — c'était un son nouveau pour elle — appuyé des deux mains au bord du labavo.

— Qu'est-ce qu'il y a de si drôle? interrogea-t-elle.

— Rien, au fond, dit-il, mais il continuait à rire. Je t'imaginais simplement juchée sur ce lavabo. Il faut un certain entraînement pour ne pas perdre l'équilibre et se laver en même temps. Si tu tombes, tu peux te casser une jambe.

Jeanne était furieuse, non pas parce qu'il était amusé, mais parce qu'il le montrait. Il y avait des choses dont on ne parlait pas. Le rouge monta à ses joues, et elle se retourna d'un air furieux vers le miroir.

Paul décida de la ménager. Il posa sur son épaule un baiser léger et dit :

— Allons, ne sois pas comme ça.

— Nous sommes différents, déclara-t-elle sans le regarder.

Elle lui jeta un coup d'œil dans la glace et constata qu'il se moquait toujours d'elle. Ses pudeurs semblaient ridicules à Paul. Après tout, ils n'étaient que deux corps entrés en collision dans les abîmes du monde contemporain, où un acte n'était jamais plus scandaleux qu'un autre. Seule la chaleur palpable de sa chair paraissait avoir pour lui quelque réalité.

Mais, pour le moment, il était prêt à entrer dans son jeu.

— Pardonne-moi, implora-t-il. (Et il lui donna un nouveau baiser :) Tu me pardonnes ?

Jeanne se radoucit.

— Oui, dit-elle.

Et elle lui sourit, parvenant à mettre dans ce sourire toute la spontanéité chaleureuse d'une enfant.

Paul jugea que c'était le moment de faire un nouveau pas en avant, de la pousser un peu plus loin.

— Alors, viens me laver, dit-il.

Son sourire disparut.

— Tu plaisantes ? demanda-t-elle dans son anglais hésitant. Jamais de la vie ! Qu'est-ce qui te fait croire que tu peux me donner des ordres comme ça ?

Il y avait un accent nouveau dans sa voix — tout à

la fois de la colère et de la peur et Paul n'en tint aucun compte. Il ouvrit l'eau et se mit à se savonner les mains, puis le sexe. Il s'installa à califourchon sur le lavabo.

— Tu ne sais pas ce que tu manques, dit-il.

Jeanne secoua la tête d'un air incrédule.

— Tu sais ce que tu es? dit-elle. Tu es un porc.

— Un porc? (Paul réfléchit : l'idée était amusante.)

— Une salle de bains, c'est une salle de bains, expliqua-t-elle avec une condescendance moqueuse, et l'amour c'est l'amour. Tu mélanges le sacré et le profane.

Pour Paul, il n'y avait pas de différence entre les deux mots, et il décida de lui faire partager ce point de vue. Mais pour l'instant il demeura silencieux. Jeanne continuait à se maquiller.

Paul se sécha, conscient d'un malaise grandissant. Toute cette scène sentait la vie de famille : ils s'habillaient dans un silence respectueux, se préparant à retrouver le monde extérieur, comme un mari et une femme dont chacun ne connaissait que trop bien les habitudes de l'autre. La scène était trop paisible. Paul décida de changer cela.

— J'ai vu un jour un film suédois très triste, qui mélangeait le sacré et le profane, commença-t-il, assis sur le rebord de la baignoire, en train d'enfiler ses chaussettes.

— Tous les films pornographiques sont tristes, dit-elle. C'est la mort.

— Ça n'était pas pornographique — c'était tout simplement suédois. Ça s'appelait *Stockholm secret*, et c'était l'histoire d'un jeune type très timide qui finissait par rassembler le courage d'inviter une fille chez lui. Alors pendant qu'il attend, tout excité, tout ému, il commence à se demander s'il n'a pas les pieds sales. Il vérifie. Ils sont dégoûtants. Alors il se précipite dans la salle de bains pour les laver. Mais il n'y a pas d'eau. Il est désespéré, il ne sait pas quoi faire. Tout d'un coup, une inspiration lui vient. Il met le pied dans la cuvette des cabinets et tire la chasse d'eau. Le visage du type s'illumine : il y est arrivé. Mais quand il essaie de retirer son pied de la cuvette, rien à faire. Son pied est coincé. Il essaie encore, il tire de toutes ses forces, rien à faire. La fille arrive et le trouve désespéré, en larmes, adossé au mur, le pied toujours dans la cuvette.

Paul semblait prendre plaisir aux aspects sadiques de son histoire. Il poursuivit :

— Le type dit à la fille de s'en aller et de ne jamais revenir. Mais elle insiste, elle dit qu'elle ne peut pas le laisser comme ça, parce qu'il risque de mourir de faim. Elle va chercher un plombier. Le plombier étudie le cas, mais refuse de prendre la responsabilité. « Je ne peux pas casser la cuvette, dit-il. Ça pourrait lui blesser le pied. » On appelle une ambulance. Les infirmiers arrivent avec un brancard, et ils décident tous de desceller la cuvette du plancher. On met le type sur le brancard, avec la cuvette toujours autour de son pied, comme une énorme chaussure. Les deux infirmiers se mettent à rigoler. Le premier glisse dans l'escalier, tombe sous le brancard. La cuvette lui tombe sur la tête et le tue net.

Jeanne eut un rire nerveux. Paul se leva brusquement et sortit de la salle de bains, la laissant seule. Cet humour cruel était quelque chose qu'ils auraient pu au moins partager, mais il n'en avait pas envie.

Tout habillé maintenant, Paul se mit à arpenter le salon rond, l'inspectant d'un regard critique. Il déplaça la table et les chaises dans la salle à manger et alla chercher le grand matelas dans la petite chambre. Ce qui avait été le tabernacle les isolant du monde extérieur prenait maintenant l'air d'une arène. Il entrebâilla légèrement les volets d'une des fenêtres, pour faire entrer plus de lumière dans la pièce.

Jeanne sortit de la salle de bains, parfaitement maquillée et prête à partir. Ses cheveux longuement brossés brillaient, et elle les avait soigneusement relevés et épinglés au-dessus de sa nuque. Dans ses jeans qui moulaient ses jambes interminables, elle avait l'air tout d'un coup moins jeune, plus femme. Ils se regardèrent. Jeanne sourit, hésita, lui fit un petit signe de la main et se tourna vers la porte d'entrée. Mais Paul n'en avait pas encore fini avec elle et, au fond, elle le savait : il n'eut pas besoin de la rappeler.

Elle revint dans le salon. Paul était planté dans le soleil, le menton levé, l'observant avec le même détachement froid. Elle soutint son regard. Ils étaient maintenant des combattants, qui se mesuraient.

— On remet ça? fit-elle.

Paul ne répondit pas mais lentement se mit à déboutonner sa chemise. Jeanne jeta dans un coin son manteau et son sac et l'imita, ôtant son corsage et ses jeans pour finalement se dresser nue et fière devant lui.

— Il faut qu'on se regarde, dit-elle. C'est ça?

— Oui, répondit-il, et pour la première fois, il la regarda comme une femme. C'est ça.

Il s'assirent sur le lit, face à face, leurs jambes emmêlées. Il palpa des deux mains le visage de Jeanne, comme s'il venait de le découvrir, puis son cou, ses épaules, ses seins où ses mains s'attardèrent, s'émerveillant de leur plénitude.

— N'est-ce pas que c'est beau comme ça? dit-il, et il était sincère. Sans rien savoir?

— Adam et Eve ne savaient rien l'un de l'autre, dit-elle.

— Nous sommes comme eux, mais à l'envers. Ils virent qu'ils étaient nus et ils eurent honte. Nous avons vu que nous avions des vêtements, et nous sommes venus ici pour être nus.

Ils emmêlèrent leurs jambes dans une position assise du Kàma-Sùtra, chacun d'eux reposant une cuisse sur celle de l'autre. Jeanne prit dans sa main le sexe de Paul et le guida en elle. Paul fit courir ses doigts sur les hanches rondes et caressa sa toison tiède et humide.

— Je suis sûre que nous pourrions jouir sans nous toucher, dit-elle.

Ils se renversèrent en arrière en se regardant.

— Simplement avec nos yeux, dit-elle, et nos corps.

En plaisantant il demanda :

— Tu as joui?

— Non.

Paul commença à se balancer d'avant en arrière.

— C'est difficile, gémit Jeanne.

— Moi non plus, je n'ai pas encore joui. Tu n'essaies pas assez fort.

Leur mouvement s'accéléra. Ce fut Paul qui jouit le premier, et il la quitta, mais Jeanne n'avait jamais été plus ravie. Pour la première fois, ils commençaient à éprouver quelque chose de plus que le désir et l'excitation d'une aventure : c'était une sorte de sympathie. Elle aurait voulu lui dire quelque chose, mais elle ne savait pas comment l'appeler.

— Je sais ce que je vais faire, dit-elle, toute joyeuse. Il va falloir que je t'invente un nom.

— Un nom? O Seigneur! fit Paul en riant et en secouant la tête. Mon Dieu, on m'a appelé par mon nom un million de fois dans ma vie. Je ne veux plus de nom. Je préfère me contenter de grommeler et de grogner. Tu veux savoir mon nom?

Il se mit à quatre pattes. Il fronça les lèvres en avant pour leur donner la forme d'un groin, souleva la tête et se mit à gronder bruyamment. Puis il se mit à grogner, un grognement rauque, un son primitif qui les excita tous les deux. Jeanne passa les bras autour de son cou et avança un pied entre ses jambes.

— C'est si masculin, dit-elle. Maintenant écoute mon cri.

Elle l'attira auprès d'elle sur le matelas et le serra très fort. Elle miaula et demanda :

— Tu aimes ça?

Ils éclatèrent de rire. Il grogna encore, et elle répondit. A eux deux ils emplirent le salon rond de leurs râles stridents, comme deux bêtes.

7

L'équipe de Tom attendait dans le jardin de la villa de Châtillon-sous-Bagneux quand Jeanne arriva. Ses cheveux n'étaient plus coiffés en rouleaux, mais tombaient en mèches folles sur ses épaules. On aurait dit qu'elle venait de se réveiller. Sortant tout droit des bras de Paul, elle débordait de vie; par contraste, les autres avaient l'air de statues, et elle s'arrêta auprès de la grille pour observer le préposé au son. Il était agenouillé auprès de son magnétophone, son casque aux oreilles, et il faisait passer la perche d'avant en arrière au-dessus de sa tête pour vérifier le niveau d'enregistrement. Le cameraman était en train de charger son appareil, les deux mains enfoncées dans un sac noir. La script-girl feuilletait le dernier numéro de *Elle*, sans même chercher à dissimuler son ennui. Aucun d'eux ne s'intéressait aux oies qui passaient, elles fournissaient simplement un son intéressant.

Jeanne referma bruyamment la grille.

— Merci pour le bruit, dit le préposé au son. C'était la discrétion même.

Jeanne lut la déception sur le visage de Tom. Il se tenait un peu à l'écart, les mains dans les poches, s'efforçant de lui sourire.

— Tu n'es pas prête, fit-il en regardant ses cheveux.

Elle décida de ne pas se chercher d'excuses en mentant.

— Mais ça n'est pas une perruque, fit-elle en riant. Ce sont les miens. Tu ne me trouves pas belle? Ose me dire que tu ne m'aimes pas comme ça.

— Mais si, je t'aime bien comme ça, insista Tom. Tu as l'air changée, mais tu es la même. Je vois déjà un plan...

Tom leva les deux mains, formant un cadre imaginaire comme un objectif et la regarda ainsi. L'équipe se préparait au tournage. Jeanne examina le jardin et le mur de pierres qui l'entourait. Dans son enfance, la villa était flanquée sur trois côtés par des prés et lui semblait inviolée comme tous ses souvenirs. C'était avec désappointement qu'elle avait vu ces mêmes champs disparaître au long des années sous les lourds pâtés d'habitations et les baraquements des travailleurs émigrés chassés des villes.

— La caméra est tout en haut, reprit Tom. Elle descend lentement vers toi. Et à mesure que tu avances, elle se rapproche. Il y a de la musique aussi. De plus en plus près de toi.

— Je suis pressée, fit Jeanne, l'interrompant. Commençons.

— Mais tout d'abord, nous allons parler un peu de la scène.

— Non, dit-elle.

L'équipe se mit en position et la suivit vers le fond du jardin.

— Aujourd'hui, on improvise, annonça-t-elle. Vous n'aurez qu'à vous débrouiller pour me suivre.

Tom était enchanté. Il fit signe à son caméraman de venir.

— Tu es ravissante, dit-il en marchant derrière elle, tendant la main juste assez pour toucher ses cheveux répandus. C'est ton vrai moi, tu te retrouves dans le décor de ton enfance. Ça ne pourrait pas être possible autrement! Je vais te filmer comme tu étais : sauvage, impétueuse, merveilleuse!

Jeanne les entraîna vers une petite tombe auprès du buisson d'aubépine. La photographie insérée dans la pierre tombale montrait son berger allemand assis, l'air docile. En dessous, on avait gravé ces mots : « Mustapha, Oran 1950 — Paris 1958. »

— C'était mon ami d'enfance, dit-elle. Il me regardait pendant des heures, et j'avais l'impression qu'il me comprenait.

Une vieille femme en robe noire, les bras croisés sur son ample poitrine, sortit de la maison et arriva vers eux à grands pas. Ses cheveux blancs étaient sévèrement tirés en arrière, et elle rejoignit leur groupe à temps pour entendre ce que disait Jeanne. Elle ajouta :

— Les chiens, ça vaut mieux que les gens. Beaucoup mieux.

Jeanne lui sauta au cou.

— C'est Olympe, expliqua-t-elle à Tom. C'est la nounou qui m'a élevée.

— Mustapha savait distinguer les riches des pauvres, racontait Olympe. Jamais il ne s'est trompé. Si quelqu'un de bien habillé arrivait, il ne bougeait pas...

Sa voix un peu rauque prenait des accents songeurs tandis qu'elle regardait le cameraman qui, encouragé par Tom, commençait à tourner autour d'elle.

— Si un mendiant se présentait, poursuivit-elle, vous auriez dû le voir. Quel chien! Le colonel l'avait dressé à reconnaître les Arabes à l'odeur.

Jeanne se tourna vers l'équipe :

— Olympe est une anthologie des vertus domestiques. Elle est fidèle, admirative... et raciste.

La vieille femme les entraîna vers la villa.

Des plantes en pot encombraient l'entrée, disposées un peu au hasard sur le carrelage usé. Sur une table basse en rotin, pâlie par les ans, une lampe de cuivre avec un verre de lampe couleur vert bouteille; sur le mur au-dessus était pendu un portrait d'amateur à l'huile, représentant le père de Jeanne, le colonel en grande tenue. Son uniforme était remarquablement coupé, ses bottes luisantes, sa moustache nette et bien cirée.

Jeanne entraîna l'équipe plus loin, dans une pièce voisine, au parquet bien astiqué et aux murs tendus d'étoffe imprimée de grands motifs géométriques. Des armes primitives soigneusement alignées au-dessus d'une étagère encombrée de photographies, autant de scènes exotiques un peu jaunies et racornies sur les bords, détournèrent un moment l'attention de l'équipe et de leur metteur en scène.

Jeanne regardait tout cela fièrement. Elle prit un cadre sur l'étagère et le leur exhiba : sur le cliché, trois rangées de collégiennes affrontaient l'objectif d'un air buté, sous le regard d'une robuste femme en chaussures à talons plats.

— C'est moi ici, dit Jeanne. A droite de la maîtresse, Mlle Sauvage. Elle était très religieuse, très sévère...

— Elle était trop bonne, fit Olympe l'interrompant. Elle t'a pourrie.

Tom donna une tape sur l'épaule du cameraman; celui-ci pivota, braqua son objectif vers la vieille femme, mais elle se dissimula derrière les autres.

Jeanne montrait un autre personnage.

— Celle-ci, c'est Christine, ma meilleure amie. Elle a épousé un pharmacien et elle a deux enfants. C'est comme un petit village ici. Tout le monde connaît tout le monde...

— Personnellement, fit Olympe d'une voix croassante, je ne pourrais pas vivre à Paris. C'est plus humain ici.

De nouveau le cameraman pivota, en quête d'une nouvelle proie; Olympe battit en retraite vers les portes à petits vitraux.

— Nous sommes protégés ici, poursuivit Jeanne. C'est mélancolique de regarder derrière soi.

Ils entrèrent dans sa chambre d'enfant. Des animaux en peluche usés aux pattes par trop de tendresse s'alignaient le long de l'appui des fenêtres; des répliques miniatures d'objets d'adulte — une brouette, une chaise, un tabouret — s'alignaient le long des murs. Sur les rayonnages, les dos des livres étaient tous passés.

— Pourquoi est-ce mélancolique? lui demanda Tom. C'est merveilleux.

Elle se contenta de lever les mains sans rien dire et tourna les talons.

— C'est toi! cria-t-il. C'est ton enfance... Tout ce que je veux!

Tom contemplait le plafond, perdu dans son inspiration. Puis il fit signe au cameraman de suivre Jeanne.

— Ces cahiers sont l'enfance de ton intelligence. C'est fascinant. Le public a un peu peur de la femme d'aujourd'hui... (Il s'arrêta pour réfléchir, le script se composant peu à peu dans son esprit pendant que Jeanne sortait en dansant de la chambre, le cameraman sur ses talons.) Mais si tu réussis à montrer l'intelligence quotidienne d'une femme ou d'une autre, un peu au-dessus de la moyenne, mais pas hors d'atteinte...

Inspiré, Tom regardait autour de lui et parut remarquer pour la première fois les membres de son équipe, qui rôdaient derrière lui.

— Qu'est-ce que vous faites là! cria-t-il. Qui sont tous ces zombies autour de nous?

Il les chassa dans le jardin, puis ouvrit une porte

menant à une pièce pleine de meubles bas et confortables.

— J'ouvre la porte! cria-t-il en faisant signe à Jeanne. J'ouvre toutes les portes.

— Qu'est-ce que tu fais? demanda-t-elle, s'efforçant de se montrer à la hauteur de son enthousiasme.

— J'ai un plan. Fais machine arrière! Tu comprends? Comme une voiture qu'on met en marche arrière.

Il la prit par les mains.

— Ferme les yeux, dit-il. Recule, continue, retrouve ton enfance.

— Je vois papa, dit-elle, se prêtant à son jeu, en grande tenue...

— N'aie pas peur. Surmonte les obstacles.

— Papa à Alger...

— Tu as quinze ans, dit-il. Quatorze, treize, douze, onze, dix, neuf...

— Je vois ma rue préférée quand j'avais huit ans...

Elle ouvrit les yeux et prit un gros cahier posé sur la table. Elle se mit à lire tout haut :

« Devoir à faire pour la classe de français. Sujet : la campagne. Développement : la campagne est le pays des vaches. La vache est entièrement couverte de cuir. Elle a quatre côtés : le devant, le derrière, le haut et le bas... »

— Charmant!

Jeanne prit un dictionnaire et se mit à le feuilleter.

— La source de ma culture, c'était le Larousse, dit-elle. Je copiais tout dedans.

Elle se mit à lire d'une voix forte, comme si elle déclamait une scène :

— Menstruation, nom féminin, fonction biologique consistant en l'écoulement... Pénis, nom masculin, organe de la copulation mesurant de cinq à quarante centimètres... »

— Très instructif, dit-il en se tournant vers la fenêtre et en faisant signe à l'équipe de revenir.

Jeanne prit sur l'étagère une photographie de son père. Elle examina les rangées de médailles sur sa poitrine, les galons d'or sur son uniforme, dont elle conservait un souvenir si vivace, la façon dont il se tenait au garde à vous, les doigts légèrement recroquevillés sur le côté. Elle ne l'avait jamais vu autrement qu'en uniforme. Il était toujours bon avec elle, et pourtant elle n'avait jamais eu le sentiment qu'elle pourrait simplement monter sur ses genoux, l'embrasser et le toucher. Sa mère vouait un véritable culte au colonel, et Jeanne avait souvent décelé ce qui, même alors, lui semblait être de la jalousie chez sa mère. Jeanne avait voulu être un soldat comme le colonel, porter une arme et traverser la vie avec sa splendide assurance. Elle avait été si flattée lorsqu'il lui avait proposé de lui apprendre à tirer avec son pistolet d'ordonnance qu'elle avait surmonté la terreur que lui inspiraient le fracas de l'arme et la mort qu'elle était capable de dispenser; et elle avait appris à tirer presque aussi bien que lui. Jeanne pensait au colonel comme à un homme âgé, mais invincible, et lorsqu'il était mort, c'était comme si le monde entier avait été désormais en danger.

— Qui est-ce? demanda Tom en montrant un dessin au crayon d'un jeune garçon qui jouait du piano.

Jeanne sourit :

— Mon premier amour, dit-elle. Mon cousin Paul.

Le cameraman passa entre eux, braquant son appareil sur le portrait. Olympe était plantée sur le pas de la porte, massive et silencieuse.

— Pourquoi ferme-t-il les yeux? demanda la script-girl.

— Il jouait du piano, et il jouait magnifiquement. Je me souviens de lui assis là, faisant courir ses doigts minces sur les touches. Il s'exerçait pendant des heures.

Elle se souvenait bien des yeux sombres de son cousin, de leur regard malsain et fiévreux. Pendant que ses parents à lui et les siens prenaient le thé dans le salon, en regardant les jacinthes et les aubépines en fleurs, en parlant de leurs voyages en Afrique, elle et lui s'éclipsaient discrètement...

Jeanne ouvrit la fenêtre et désigna le fond du jardin.

— Ces deux arbres, dit-elle, le châtaignier et le platane, c'est là que nous nous asseyions. Nous avions chacun notre arbre, et nous nous regardions. Mon cousin me faisait l'effet d'une sorte de saint.

Elle prit la main de Tom et l'entraîna dehors.

— N'est-ce pas qu'ils sont beaux? fit-elle en désignant un terrain vague envahi d'herbes folles et de broussailles. (Mais ce n'était pas cela que Jeanne voyait, car elle était perdue dans les rêves de son enfance, et c'était cela qu'elle regardait et non pas tout ce déclin qui l'entourait.) N'est-ce pas qu'ils sont beaux, répéta-t-elle, comme si Tom n'était pas capable de voir tout seul. Pour moi, ces arbres, c'était une vraie jungle.

Comme c'était facile de tout idéaliser pour Tom. Son enthousiasme et ses déceptions l'encourageaient à s'abandonner au penchant naturel qu'elle avait pour la rêverie. Mais elle ne pouvait pas continuer. La réalité semblait s'amasser autour d'elle comme des nuées d'orage, et les aspects plus sordides de son enfance menaçaient d'être révélés.

Olympe les suivit d'un pas lourd, brandissant la photographie du père de Jeanne comme une icône.

— Le colonel était superbe! lança-t-elle à qui voulait l'entendre, s'efforçant d'inciter le cameraman à filmer ce qu'elle considérait comme l'objet le plus important de la villa. Il me faisait même un peu peur, avoua-t-elle.

Jeanne regarda encore la photographie et se rappela la peur qu'elle éprouvait soudain lorsque son père était mécontent. Tout d'un coup elle pensa à Paul, à sa vanité et à sa force, et l'envie la prit de se cramponner à lui. Elle regarda autour d'elle et vit pour la première fois combien les murs de la villa avaient besoin d'être repeints, la façon dont un coin du jardin était complètement érodé, la pierre des murs qui s'effritait, les mauvaises herbes et au loin les baraquements aux toits de papier goudronné.

— Rien de tout cela n'existait de mon temps, dit-elle avec dégoût, s'enfonçant au milieu des broussailles, toute l'équipe sur ses talons.

Elle se sentait déçue, un peu dupée par sa visite, et quand elle vit une demi-douzaine de petits garçons à la peau brune accroupis au milieu des buissons de mûres, leurs culottes baissées, elle se mit en colère — comme s'ils venaient violer le décor de son enfance.

— Qu'est-ce que vous faites? leur cria-t-elle, tandis qu'ils remontaient leurs pantalons et s'enfuyaient à toutes jambes.

Jeanne empoigna par le bras un des garçons et le secoua. Ses vêtements n'étaient guère plus que des haillons, et il tremblait tout en essayant de lui décocher des coups de pied dans les jambes. Jeanne vit Olympe ramasser un bout de planche et se précipiter au pas de charge dans le terrain vague, le cameraman galopant auprès d'elle en s'efforçant de la garder dans le champ.

— Tu n'as pas d'autre endroit que ma jungle pour faire ça? demanda Jeanne au petit garçon. (Puis elle se rendit compte qu'il ne la comprenait pas.) File, dit-elle. Fous le camp!

Il disparut, escaladant le mur comme un animal apeuré.

— Si je te rattrape, je te pendrai! vociféra Olympe.

Va faire tes besoins dans ton pays, espèce de petit salaud.

Olympe ramassa une pierre et la lança vers les enfants qui s'enfuyaient.

— C'est l'Afrique, fit Tom d'un ton écœuré. On ne peut même plus être chez soi.

Jeanne se retourna pour examiner la scène, puis elle dit comme si elle se parlait à elle-même :

— Vieillir, c'est un crime.

Tom la rattrapa, hors d'haleine, et fit signe au cameraman. Il avait le visage tout rouge d'excitation et d'orgueil.

— Tu as filmé tout ça? demanda Jeanne.

— Tout.

— Olympe était magnifique. Maintenant, tu auras une idée précise des relations raciales dans la banlieue.

Jeanne se rendit compte qu'elle avait les yeux humides.

Tom ne s'en aperçut pas.

— Maintenant, parle-moi de ton père, dit-il.

— Je croyais que nous avions fini pour aujourd'hui.

Elle se détourna et repartit vers la grille. Tom soudain lui parut prisonnier de ses illusions d'enfance, vain et naïf.

— Une dernière chose, dit-il en se précipitant pour la rejoindre.

— Je suis pressée.

— Seulement cinq minutes, Jeanne. (Il avait un ton surpris et peiné :) Parle-moi du colonel.

— J'ai un rendez-vous d'affaires, lui dit-elle, le mensonge lui venant facilement.

Elle sortit par la grille et ne prit pas la peine de la refermer.

8

La promesse du matin s'effaçait déjà à mesure qu'un rideau de nuages apparaissait devant le soleil. Ses rayons le transpercèrent brièvement, comme s'ils étaient filtrés par un voile qui allait s'épaississant, puis tout s'assombrit. La pluie hivernale s'abattit sur Paris, poussée par le vent, pour venir frapper les grandes fenêtres arrondies de l'appartement. De pâles reflets jouaient sur les murs du grand salon, créant l'illusion de multiples cascades. La pièce commençait à sentir le sexe.

Ils étaient allongés, nus sur le matelas, le bras de Jeanne reposant sur la large poitrine de Paul, et elle détourna la tête. Paul avait à la main un petit harmonica dans lequel il soufflait, n'émettant que des notes plaintives et sans suite.

— Quelle vie, fit-elle comme dans un rêve. On n'a pas le temps de souffler.

Elle songeait encore à la matinée, aux souvenirs enfouis dans la villa de banlieue. Elle éprouvait un désir irraisonné de partager sa déception avec Paul.

— Le colonel, commença-t-elle, avait les yeux verts et des bottes étincelantes. Je l'aimais comme un Dieu. Il était si beau dans son uniforme.

— Quelle foutaise!

— Quoi? fit-elle scandalisée. Je t'interdis...

— Tous les uniformes, c'est de la foutaise, tout ce qui est en dehors d'ici, c'est de la foutaise. D'ailleurs, je n'ai pas envie d'entendre tes histoires à propos de ton passé et tout le tremblement.

Elle savait qu'elle était stupide de compter sur lui pour compatir, mais elle reprit :

— Il est mort en Algérie, en 1958.

— Ou 68, dit Paul. Ou 28, ou 98.

— En 58! Et je te défends de plaisanter là-dessus!

— Ecoute, dit-il avec patience, pourquoi ne cesses-tu pas de parler de choses qui n'ont aucune importance ici? Qu'est-ce que ça peut nous foutre?

— Alors, qu'est-ce qu'il faut que je dise? demanda-t-elle d'un ton las, quémandant un conseil. Qu'est-ce qu'il faut que je fasse?

Paul lui sourit. Il joua quelques mesures d'une ronde enfantine à l'harmonica, avec chaleur et non sans talent, puis il se mit à chanter : « Frère Jacques, Frère Jacques... »

Jeanne secoua la tête. Il lui semblait soudain très loin.

— Pourquoi ne rentres-tu pas en Amérique? demanda-t-elle.

— Je ne sais pas. A cause de mauvais souvenirs, je pense.

— Des souvenirs de quoi?

— Mon père, fit-il en roulant sur le ventre et en se soulevant sur les coudes, si bien qu'il avait le visage tout près du sien, mon père était un ivrogne, une brute — il insista sur le mot — un baiseur de première, un bagarreur... le genre super-mâle. Oui, il n'était pas commode. (Son expression s'adoucit.) Ma mère, elle, était très poétique, elle buvait aussi, et parmi les souvenirs d'enfance je me rappelle qu'on était venu l'arrêter un jour où elle était à poil. On habitait une petite bourgade, dans une région agricole. J'étais rentré de l'école et elle n'était plus là, elle était en taule ou je ne sais où.

Une expression de plaisir à peine perceptible se peignit sur son visage, adoucissant ses traits. Cela faisait si longtemps qu'il n'avait pas pensé à tout cela que ces choses avaient cessé d'exister pour lui.

— Tous les matins, reprit-il, et tous les soirs, j'allais traire une vache et j'aimais ça. Mais je me souviens qu'une fois, j'étais sur mon trente-et-un, et je m'apprêtais à sortir pour emmener une fille à un match de basket-ball, et puis mon père m'a dit : « Il faut que tu traies la vache. » Et je lui ai demandé : « Tu ne voudrais pas la traire pour moi? » Tu sais ce qu'il m'a dit? Il m'a dit : « Fous-moi le camp d'ici! » Alors je suis sorti, j'étais pressé et je n'ai pas eu le temps de changer de chaussures et j'avais plein de bouse de vache dessus. Pendant tout le trajet jusqu'au terrain de basket, ça sentait dans la voiture.

Paul eut une grimace.

— Ah, fit-il, essayant de chasser ce qu'il avait déjà évoqué. Je n'ai pas beaucoup de souvenirs agréables.

Jeanne insista.

— Pas un seul? demanda-t-elle en anglais, pour le flatter. (Les souvenirs la fascinaient.)

— Certains, dit-il, cédant. Il y avait un fermier, un vieux type très gentil qui trimait vraiment dur. Je creusais un fossé avec lui, un fossé d'écoulement pour assécher un pré. Il avait une salopette et il fumait une pipe en terre, et la moitié du temps il ne mettait pas de tabac dedans. J'avais horreur de ce travail — il faisait chaud, c'était salissant, ça me brisait le dos — et toute la journée je regardais la salive du vieux qui coulait le long du tuyau de la pipe et se rassemblait sous le fourneau. Je faisais des paris tout seul pour prévoir le moment où la goutte allait tomber, et je perdais toujours. Je ne voyais jamais la salive tomber. Je détournais les yeux une seconde et, paf, c'était parti, et la salive recommençait à s'amasser.

Paul eut un petit rire silencieux et secoua la tête. Jeanne n'osait bouger, craignant qu'il ne s'arrêtât de parler.

— Et puis nous avions un beau chien, poursuivit-il, d'une voix qu'elle n'avait pas encore entendue. (C'était presque un murmure.) Ma mère m'apprenait à aimer la nature — je crois que c'était tout ce dont elle était capable — et devant notre maison nous avions ce grand champ. En été, c'était un champ de moutarde, et notre gros chien noir, il s'appelait Dutchy, chassait les lapins là. Mais il ne pouvait pas les voir, alors il était obligé de sauter en l'air dans ce champ pour regarder vite où étaient les lapins. C'était très beau, mais il n'attrapait jamais rien.

Jeanne éclata de rire. Paul la regarda avec surprise.

— Je t'ai eu, dit-elle d'un ton triomphant.

— Oh vraiment?

Pour se moquer de lui, elle poursuivit en anglais avec un violent accent :

— Je ne veux rien savoir de ton passé, baby. (Le *baby* était sorti, presque malgré elle.)

Paul se renversa sur le dos et la considéra froidement. Le rire de Jeanne s'arrêta.

— Tu crois que je te disais la vérité? demanda-t-il. (Et comme elle ne répondait rien, il ajouta :) Peut-être que oui, peut-être que non.

Jeanne, néanmoins, avait l'impression qu'elle l'avait quand même rendu plus humain. Ce fut elle qui prit l'initiative de leur troisième assaut de la journée. Elle dit d'un ton enjoué :

— Je suis le petit Chaperon Rouge et tu es un loup.

Paul se mit à grogner, un grognement rauque et profond, mais elle le fit taire en posant la main sur ses lèvres. De l'autre main, elle caressait ses puissants biceps.

— Que tu as les bras forts! dit-elle.

Paul décida de se plier au jeu de Jeanne, mais s'il jouait c'était à des fins de lui seul connues et en y mettant tout son humour cruel. Il avait déjà cédé assez de terrain comme ça.

— C'est pour mieux te faire téter, mon enfant, dit-il.

Elle examina sa main :

— Quels ongles longs vous avez!

— C'est pour mieux te gratter le cul, mon enfant.

Elle passa la main dans la toison de Paul :

— Quelle fourrure vous avez.

— C'est pour mieux cacher tes morpions, mon enfant.

Elle regarda sa bouche comme un maquignon en pleine foire aux chevaux :

— Oh, quelle longue langue vous avez!

— C'est pour mieux... (Paul marqua un temps pour souligner son effet :)... te l'enfoncer dans le cul, mon enfant.

Jeanne prit dans sa main le sexe de Paul et le serra.

— Et ça, demanda-t-elle, c'est pour quoi?

— C'est pour faire honneur à ton bonheur, lui dit-il, bonheur à ton honneur, chantonna-t-il.

Le jeu de mots laissa Jeanne indifférente. Paul profita de cette occasion pour faire étalage de son érudition :

— La queue, poursuivit-il, cependant qu'elle maintenait son étreinte, le zizi, la pine, la bite, le zob, la gaule, le trombone à coulisse...

Elle fut charmée par l'orgueil inébranlable avec lequel il évoquait l'organe mâle.

— C'est marrant, fit-elle, c'est comme de jouer aux grandes personnes quand on est petit. Ici je me sens de nouveau une enfant.

— Tu t'amusais quand tu étais gosse? demanda Paul d'un ton absent.

La main de Jeanne sur lui, il l'acceptait tout à la fois comme un hommage et comme une stimulation, et dans cet ordre.

— C'est beau quand même, dit-elle, se laissant aller au flot des souvenirs idéalisés.

Paul s'y attendait et décida de détruire ces souvenirs, mais sans hâte et sans rompre l'ambiance.

— C'est beau de devenir rapporteur, dit-il le souffle un peu rauque, ou bien d'être forcé d'admirer l'autorité ou de se vendre pour un bonbon.

— Je n'étais pas comme ça.

— Ah non?

— J'écrivais des poèmes. Je dessinais des châteaux... de grands châteaux avec de grosses tours.

— Tu ne pensais jamais au sexe?

— Jamais, affirma-t-elle d'un ton catégorique.

— Jamais au sexe. (Il fit semblant de la croire.) Alors tu étais sans doute amoureuse de ton professeur.

— Mon professeur était une femme.

— Alors c'était une lesbienne.

— Comment le sais-tu?

Elle était tout à la fois furieuse et stupéfaite de son intuition. Elle se rappelait vaguement son professeur — Mlle Sauvage — qui faisait exprès de gronder ses élèves pour pouvoir les consoler ensuite. Fallait-il que tout se révèle corrompu? se demanda-t-elle.

— Situation classique, dit Paul. Peu importe, continue.

— Mon premier amour, ça a été mon cousin Paul.

Le nom, comme n'importe quel nom, l'agaça.

— Tu vas me donner des hémorroïdes si tu continues à me dire des noms. Ça m'est égal que tu me racontes la vérité, mais ne dis pas de noms.

Jeanne s'excusa. Elle hésitait à continuer, mais il

sentait où elle était vulnérable, et s'échauffait, déjà prêt à attaquer.

— Allons, continue, dit-il. Et dis la vérité.

— J'avais treize ans. Il était brun, très mince. Je le revois encore avec son grand nez. C'était follement romanesque : j'étais tombée amoureuse de lui en l'entendant jouer du piano.

— Tu veux dire la première fois qu'il a fourré la main dans ta culotte.

Paul glissa une main le long de sa cuisse, jusqu'au moment où il toucha du bout des doigts les lèvres de son sexe. De l'autre main, il faisait semblant de pianoter sur un clavier imaginaire.

— C'était un enfant prodige, poursuivit Jeanne. Il jouait des deux mains.

— Je pense bien, fit Paul avec un ricanement de mépris. Et il ne devait pas s'embêter.

— Nous mourions de chaleur...

— Bonne excuse. Et après?

— L'après-midi, quand les grandes personnes faisaient la sieste...

— Tu t'es mise à lui empoigner la bite.

— Tu es fou, dit-elle, exaspérée.

— Alors, déclara Paul, c'est lui qui t'as touchée.

— Je ne l'ai jamais laissé faire. Jamais!

Paul sentait le conflit en elle. Elle semblait au bord d'une révélation, et il la taquinait en chantonnant :

— Menteuse, menteuse, le feu au train, la main au cul, le nez comme un poteau téléphonique! Tu veux me faire croire qu'il ne t'a pas touchée? Regarde-moi droit dans les yeux et dis-moi : « Il ne m'a pas touchée une seule fois. » Vas-y, je t'écoute.

Jeanne s'écarta de lui et parcourut du regard son propre corps. Ses seins et ses cuisses paraissaient lourds et sensuels; elle se sentait tellement plus vieille maintenant, si loin de ce temps dont elle évoquait le souvenir. Elle aurait voulu cesser de se rappeler, mais Paul ne lui laissait pas de répit.

— Non, avoua-t-elle, il m'a touchée. Mais la façon dont il le faisait...

Paul était penché sur elle maintenant.

— La façon dont il le faisait, répéta-t-il d'un ton sarcastique. Bon, qu'est-ce qu'il faisait?

— Derrière la maison il y avait deux arbres, un sycomore et un châtaignier. Moi, je m'asseyais sous le sycomore et lui sous le châtaignier. On comptait un, deux, trois, et on commençait chacun à se masturber. Le premier qui jouissait...

Elle leva les yeux et vit que Paul s'était détourné.

— Pourquoi ne m'écoutes-tu pas? demanda-t-elle, revenant au français.

Il ne répondit pas. Il savait que même son innocence était imprégnée de sexualité, que l'aveu qu'elle venait de faire était un triomphe pour lui, mais il n'en avait pas encore fini avec elle. Le vacarme insolite de la sonnette les fit sursauter. Du palier leur parvenait une voix d'homme nasillarde :

— La Bible complète, une édition unique, sans coupures...

Paul était furieux de cette interruption. Il se dirigea vers la porte, mais Jeanne se leva et lui prit le bras.

— Nous avons fait un pacte, oui ou non? murmura-t-elle. Personne ne nous verra jamais ensemble. Tu pourrais me tuer, personne ne le saurait. Pas même ce vendeur de bibles sur le palier.

Paul posa les mains sur sa gorge et il sentit ses seins qui lui effleuraient l'avant-bras.

— La vraie Bible! criait le vendeur. Ne fermez pas votre porte à l'éternité!

Paul détestait l'homme sans même l'avoir vu. « Ces salauds avec leurs bibles! » marmonna-t-il. Il aurait

78

voulu châtier cet inconnu pour les avoir dérangés, mais Jeanne ne voulait pas le lâcher. Il se mit à lui serrer le cou.

— Tu as raison, dit-il. Personne ne le saurait. Pas ce vendeur de bibles, et pas cette concierge à demi aveugle.

— Tu n'as même pas de mobile. (Elle lui serra les poignets, qui lui parurent durs comme du bois.) Le crime parfait.

Ses doigts resserrèrent son étreinte. Il sentait les tendons du cou, ses pouces ne rencontraient guère de résistance. Comme ç'aurait été facile de mettre un terme à ses souvenirs sans intérêt et qu'il n'avait même pas eu besoin de lui arracher. Une fois corrompue, la chair était comme morte — que ce fût celle de Jeanne, de Rosa, ou même la sienne. Elle l'avait amené à révéler un peu de son passé, et de la faiblesse où sa rage prenait racine. Quelqu'un d'autre le paierait, et si ce n'était pas le vendeur de bibles, alors ce serait elle, car il n'avait personne d'autre sous la main.

Il la lâcha et Jeanne s'agenouilla sur le matelas, se tâtant le cou. Elle avait le souffle un peu court et elle se demandait s'il avait seulement cherché à lui faire peur.

Ce fut à peine s'ils entendirent s'éloigner les pas du vendeur de bibles.

— Quand as-tu joui pour la première fois? lui demanda Paul. Quel âge avais-tu?

— La première fois?

Elle essaya de se souvenir, soulagée et vaguement flattée. Comme il était difficile à comprendre, et comme il était seul, sa silhouette se découpant contre la grisaille de la fenêtre pareille à une ardoise humide. Les muscles de son dos étaient gonflés, comme s'il s'attendait à être attaqué.

— J'étais très en retard pour l'école, commença-t-elle. Tout d'un coup, j'ai éprouvé une étrange sensation, ici, fit Jeanne en se touchant le sexe. J'ai joui tout en courant. Alors je me suis mise à courir de plus en plus vite, et plus je courais, plus je jouissais. Deux jours plus tard j'ai essayé de recommencer en courant, mais ça n'a pas marché.

Paul ne se retourna pas. Elle était allongée à plat ventre sur le matelas, une main entre ses jambes. Elle trouvait étrange de lui raconter les sombres secrets que jamais elle ne pourrait partager avec Tom.

— Pourquoi ne m'écoutes-tu pas? demanda-t-elle.

Paul se contenta de passer dans la pièce voisine. Il se sentait tendu comme la corde d'un arc. Il s'assit au bord d'une chaise et observa Jeanne. Elle se mit à agiter ses hanches d'un mouvement circulaire, comme si elle faisait l'amour. Ses fesses se crispèrent.

— Tu sais, soupira-t-elle, sans le regarder. J'ai l'impression de parler aux murs.

Elle continuait à se caresser avec un plaisir grandissant.

— La solitude pèse sur moi. Ce n'est pas gentil ni généreux : tu n'es qu'un égoïste. (Sa voix était lointaine, un peu rauque.) Je peux être moi-même toute seule aussi, tu sais.

Paul regardait son jeune corps qui ondulait de façon rythmée, et il se sentit les yeux pleins de larmes. Ce n'était pas sur ses souvenirs perdus d'enfant gâtée ni sur ses débuts sordides à lui qu'il pleurait. Il pleurait sur sa propre solitude.

Jeanne se tordit dans un orgasme, puis demeura immobile, comme vidée de sa substance, et épuisée.

— Amen, fit-il.

Longtemps il resta assis sans bouger. Elle finit par se lever et, sans regarder Paul, rassembla ses affaires et disparut dans la salle de bains.

La veste de Paul était accrochée à un portemanteau. Le tissu à chevrons poivre et sel parut à Jeanne assez banal et, mue par une brusque impulsion, elle regarda l'étiquette et constata que la veste venait du Printemps. Elle hésita, puis fouilla dans ses poches, en retira quelques pièces de monnaie, un ticket de métro poinçonné et une cigarette cassée en deux. Elle passa à la poche intérieure stupéfaite de sa propre audace, et découvrit une liasse de billets de cent francs, mais aucun papier d'identité.

La porte s'ouvrit brusquement et Paul entra. Il était en pantalon et il tenait à la main une vieille serviette en cuir. Il la posa sur le lavabo et en tira sa crème à raser, une savonnette, un long cuir à repasser usé par le passage de nombreuses lames, et le rasoir avec le manche en os.

— Qu'est-ce que je fais dans cet appartement avec toi? lui demanda-t-elle.

Paul ne répondit pas et se mit à se savonner le visage.

— L'amour? suggéra-t-elle.

— Disons simplement qu'on essaie de s'envoyer en l'air sur un tapis roulant.

Elle ne comprenait pas très bien ce qu'il disait, mais elle sentait qu'il y avait là quelque métaphore obscène qui correspondait à la triste opinion qu'il avait de l'aventure humaine.

— Alors, tu penses que je suis une putain.

Jeanne avait du mal à prononcer le dernier mot en anglais et Paul se moqua d'elle.

— Une putain! répéta-t-elle en français. Une putain, une grue.

— Mais non, tu n'es qu'une charmante enfant un peu démodée qui essaie de s'en tirer.

Le ton de sa voix l'insulta.

— Je préfère être une putain.

— Pourquoi fouillais-tu dans mes poches? dit-il.

Jeanne réussit à ne manifester aucune surprise.

— Pour découvrir qui tu es.

— « Pour découvrir qui tu es », répéta-t-il. Eh bien, si tu regardes d'assez près, tu me verras en train de me cacher derrière ma braguette.

Elle était en train de se mettre du noir aux yeux. Paul attacha le cuir à repasser au robinet et d'une main experte entreprit de promener dessus la lame de son rasoir.

— Nous savons qu'il achète ses vêtements dans un grand magasin, annonça Jeanne. Ça n'est pas beaucoup, inspecteur, mais c'est un début.

— Ça n'est pas un début, c'est une fin.

L'ambiance qui régnait tout à l'heure dans le salon rond s'était dissipée. Le carrelage froid autour d'eux avait un effet réfrigérant, mais Jeanne insista. Nonchalamment elle demanda à Paul son âge.

— J'aurai quatre-vingt-treize ans le week-end prochain, dit-il.

— Oh? Tu ne les parais pas.

Il commença à se raser, à longs coups précis.

— Tu as fait des études? demanda-t-elle.

— Oh oui! Je suis allé à l'université du Congo. Pour étudier la copulation chez les baleines.

— Les coiffeurs ne vont généralement pas à l'université.

— Tu es en train de me dire que j'ai l'air d'un coiffeur.

— Non, fit-elle, mais c'est un rasoir de coiffeur.

— Ou de fou.

Il n'y avait aucun humour dans sa voix.

— Alors tu veux me dépecer? déclara-t-elle.

— Ce serait comme si j'écrivais mon nom sur ton visage.

— Comme on fait aux esclaves?

— Les esclaves, on les marque sur les fesses, dit-il. Et je veux que tu sois libre.

— Libre. (Le mot lui paraissait étrange.) Je ne suis pas libre.

Elle regarda son reflet dans le miroir. Paul levait le menton, surveillant le progrès du rasoir sur la surface de sa gorge; dans cet unique instant où il n'était pas sur ses gardes, sa masculinité semblait menacée.

— Tu sais? fit-elle. Tu ne veux rien savoir de moi parce que tu as horreur des femmes. Qu'est-ce qu'elles t'ont donc fait?

— Ou bien elles font toujours semblant de savoir qui elles sont. Et c'est très emmerdant.

— Je n'ai pas peur de dire qui je suis. J'ai vingt ans...

— Bon Dieu! fit-il en se retournant vers elle. Ne t'épuise pas le cerveau!

Jeanne allait recommencer à parler, mais il brandit son rasoir.

— Tais-toi! Tu comprends? Je sais que c'est dur, mais il va falloir que tu le supportes.

Jeanne céda.

Paul remit le rasoir dans sa trousse. Il se rinça le visage, se sécha, puis empoigna les bords du lavabo et en éprouva la solidité.

— C'est très rare, dit-il doucement, on n'en trouve plus de comme ça. Je crois que ce sont les lavabos qui nous font rester ensemble, tu ne penses pas?

Il se pencha et de ses doigts courts toucha chacun de ses articles de toilette, presque avec délicatesse.

— Je crois que je suis heureux avec toi, dit-il.

Il lui donna un baiser inattendu, un peu tendre, puis il tourna les talons et sortit.

— Encore! cria Jeanne derrière lui. Refais-le, encore!

Elle se hâta d'achever sa toilette, ravie de l'aveu

qu'il venait de faire. Elle s'habilla et lui cria joyeusement en français :

— J'arrive, je suis presque prête.

Elle ouvrit la porte et sortit dans le couloir.

— On peut partir ensemble? demanda-t-elle, sachant maintenant qu'il ne protesterait pas.

Mais il n'y eut pas de réponse. Paul était déjà parti.

9

Des fleurs sombres formaient une barricade devant la fenêtre, semblaient encombrer la baignoire et le lavabo, occupaient la commode. Le lit demeurait vide. Paul, figé sur le pas de la porte, inspectait le travail de sa belle-mère. Il répugnait à entrer. L'odeur épaisse et un peu poisseuse des chrysanthèmes l'écœurait, tout comme les paroles obséquieuses du portier, Raymond, dont les façons lui rappelaient celles d'un croque-mort.

— Ça fait bien, dit Raymond, passant dans la chambre devant Paul. Vous ne trouvez pas?

— Il ne manque que Rosa.

— Votre belle-mère avait besoin de quelque chose à faire. C'est une jolie chambre, tranquille, si seulement il n'y avait pas la penderie. Elle est pleine de vers : on les entend qui travaillent dans le bois.

Raymond colla sa tête chauve contre la penderie et émit un son qui ressemblait à une mastication.

— Je mets toujours des Sud-Américains dans cette chambre, annonça-t-il avec un sourire mauvais. Les Sud-Américains ne laissent jamais de pourboires. *No tengo dinero*, ils disent toujours. *Mañana, mañana.*

— Nous sommes complets, mon bon monsieur, fit Paul en ricanant. Il n'y a que la chambre mortuaire de libre.

Raymond eut un rire qui ressemblait à un hoquet d'agonie.

— C'est bien ça, patron. Ça vous fait du bien de rire.

Paul tourna les talons et descendit l'escalier pour revenir dans l'entrée. Une femme lourdement maquillée et d'un âge indéterminé, portant une jupe à sequins sous son manteau, était penchée sur le registre ouvert, cherchant les noms de clients éventuels. C'était une pensionnaire, une amie de Rosa, et Paul la tolérait. Il referma le registre en passant et poursuivit son chemin jusqu'à sa chambre, laissant la porte ouverte.

— Pas de nouvelles têtes intéressantes aujourd'hui dit la prostituée. Tu veux jouer aux courses, Paul?

Paul ne répondit pas. Il prit une boîte en métal et une casserole délabrée dans le petit placard sous le réchaud et entreprit de préparer du café.

— La pauvre Rosa et moi, on connaissait une femme qui nous donnait des tuyaux, poursuivit-elle, sans s'occuper de savoir s'il écoutait ou non. Ça nous distrayait de parier. Et Rosa aimait tellement les chevaux. On comptait en acheter un toutes les deux un jour.

— Rosa ne connaissait rien aux chevaux, reprit Paul.

— Qu'est-ce que tu racontes? Rosa s'y connaissait très bien en chevaux. Les gens du cirque lui avaient appris à monter.

Paul s'installa derrière le bureau. Le papotage de la femme l'agaçait.

— Quels gens du cirque? demanda-t-il d'un ton las.

— Rosa s'était enfuie quand elle avait treize ans, pour suivre un cirque. C'est drôle qu'elle ne t'en ait jamais parlé.

Paul aurait voulu la faire taire. L'idée de sa femme

inventant des histoires pour faire plaisir à une putain le révoltait presque autant que la vue des jarrets d'un blanc opalescent de cette vieille femme. Etait-il possible qu'elle en sût plus sur Rosa que lui? Elle sentit son exaspération et monta l'escalier. Paul l'entendit lancer encore :

— Pourquoi a-t-elle fait ça? Dimanche, c'était le Grand Prix à Auteuil.

Un jeune homme en imperméable était planté devant Paul. Il savait que l'homme était américain parce qu'il avait un sac de voyage à fermeture éclair; il attendait qu'on lui adresse la parole et il avait ce regard un peu hanté que Paul avait vu souvent.

— Vous voulez une chambre? demanda Paul en français, par pure méchanceté.

— Oui, je suis de Dusseldorf. L'hiver est très long là-bas.

C'était la même phrase qu'ils utilisaient tous. La pauvre comédie des déserteurs semblait pitoyable à Paul. Mais c'étaient des clients, et un hôtel, il faut bien le remplir.

— Et vous êtes parti sans rien dire? fit Paul.

Le jeune homme hocha la tête :

— Pour le passeport, j'en aurai un d'ici deux jours.

Paul prit une clef au tableau et le précéda dans l'escalier. Il ouvrit la porte à côté de la chambre mortuaire de Rosa et regarda le jeune homme poser son sac sur le lit et se tourner vers lui, le visage rayonnant de reconnaissance.

— Pour l'argent, dit-il, je ne sais pas quand je pourrai vous payer.

Paul se contenta de le regarder. L'argent, ça lui était égal, mais il ne se sentait pas d'humeur non plus à prodiguer sa sollicitude. Il ferma la porte au nez du déserteur et repartit vers l'escalier.

10

Le spectacle d'une jolie fille pleurant avenue du Président-Kennedy aurait dû attirer davantage d'attention. Les réverbères s'allumaient l'un après l'autre, apportant leur lumière fragile et inutile auprès de cette sorte de plancton lumineux que formaient les feux des voitures massées presque pare-chocs contre pare-chocs, luttant farouchement pour gagner une place, indifférentes aux humains qui n'osaient pas quitter le havre du trottoir. Les hommes que Jeanne croisait commençaient à regarder ses jambes, puis ses seins, et lorsqu'ils découvraient ses larmes, elle était déjà loin.

Elle passa sa manche sur ses yeux et entra brusquement dans un restaurant. La lumière crue des lampes fluorescentes et l'odeur graillonneuse de la viande qui cuisait sur des brochettes l'assaillirent, et elle se fraya rapidement un chemin au milieu de la foule des vendeuses et des employés jusqu'à la cabine téléphonique au fond.

Elle retrouva un jeton au fond de son sac, l'introduisit dans l'appareil et composa le numéro de Tom. Il répondit presque aussitôt, et elle s'aperçut qu'elle était incapable de parler. Agacé par ce silence, Tom se mit à jurer.

— Tu es bien comme je t'imaginais, dit-elle, tu deviens tout de suite vulgaire... Ecoute, il faut que je te parle, je n'ai pas le temps de t'expliquer... Je suis à Passy... Non, pas par téléphone... Retrouve-moi à la station de métro...

Elle se remit à pleurer et raccrocha. Tout le monde voulait quelque chose d'elle, elle n'avait pas le temps de souffler, pas de répit, on l'utilisait, il fallait éliminer quelque chose. Elle songea à la caméra de Tom fouillant les crevasses secrètes de sa vie. C'était sûrement quelque chose dont elle pouvait se passer.

Elle quitta la brasserie et revint en hâte vers la station de métro. Elle attendit sur le quai, en face de celui où Tom devait arriver, les mains enfoncées dans les poches de son manteau, à regarder arriver et repartir les rames vert pâle avec leur unique wagon rouge de première. Elle pensa à Paul et ses larmes séchèrent. L'ambivalence dans laquelle elle vivait la tourmentait.

Tom était sur le quai d'en face, il la regardait.

— Qu'est-ce que tu fais là-bas? dit-il.

— Il faut que je te parle.

Il se dirigeait vers l'escalier, mais Jeanne l'arrêta.

— Ne viens pas! cria-t-elle. Reste là.

Tom était aussi agacé que déconcerté. Il inspecta le quai avant de lui demander :

— Pourquoi n'as-tu pas voulu me parler au téléphone? Pourquoi ici?

Parce qu'il n'y avait qu'ici où elle pouvait lui imposer cette distance forcée, aurait-elle voulu lui dire. Ici, elle était à l'abri, du moins pour le moment.

— Il faut que tu trouves quelqu'un d'autre, dit-elle.

— Pour quoi?

— Pour ton film.

Tom semblait en proie aux affres de l'angoisse.

— Pourquoi?

— Parce que tu profites de moi, dit-elle. Parce que tu m'obliges à faire des choses que je n'ai jamais faites. Parce que tu me prends mon temps...

C'étaient les accusations qu'elle aurait voulu lancer à Paul, mais elle en était incapable, et ce sentiment d'impuissance joint à la fatigue firent monter de nouvelles larmes à ses yeux.

— ...et à cause du genre de choses que tu me fais faire, tout ce qui te passe par la tête. Le film est fini, tu comprends?

Tom leva les mains, dans un geste désemparé. La rame entra avec fracas dans la station, le masquant aux yeux de Jeanne et elle comprit que c'était la fin : le train allait repartir avec lui dedans, et ce serait la fin de toute cette complication. Elle était contente de ne pas avoir le temps d'éprouver ni du plaisir ni de la souffrance. C'était simplement fini.

Le métro repartit. Tom avait disparu.

Elle se retourna. Il était auprès d'elle.

— J'en ai assez de me faire violer! hurla-t-elle.

Ils s'affrontaient comme des chats. Maladroitement, il voulut la frapper, mais le coup lui effleura à peine l'épaule, elle recula et voulut riposter avec son sac. Ils étaient comme deux enfants sur un tas de sable, s'agitant follement et s'injuriant, et tout d'un coup, épuisés, ils tombèrent dans les bras l'un de l'autre.

11

On aurait dit que l'Algérien ne se reposait jamais. Les mélodies inachevées de son saxophone faisaient songer Paul à Dieu sait quelle créature en train d'agoniser, hypnotisée par le son de ses propres lamentations. Il était allongé sur le divan dans sa chambre, et de là il surveillait le bureau, éclairé seulement par une petite lampe. Le rond d'un vert morbide de l'enseigne lumineuse de pastis de l'autre côté de la rue semblait marquer les limites les plus lointaines de son univers. Paul sommeillait.

Il s'éveilla brusquement, sentant une main posée sur sa poitrine. Dans la pénombre, il reconnut la robuste silhouette de sa belle-mère, un châle drapé autour de ses épaules, juchée au bord de la chaise.

— Je n'arrive pas à dormir avec cette musique, dit-elle.

Un instant, Paul imagina que c'était Rosa. Elle avait la même voix, la main sur lui semblait la même.

— Je suis arrivé à cet hôtel pour y passer simplement une nuit, dit Paul d'un ton rêveur, et j'y suis resté cinq ans.

— Quand papa et moi avions cet hôtel, les gens venaient ici pour y dormir.

Il n'y avait pas de reproche dans sa voix, mais Paul savait qu'elle désapprouvait.

— Maintenant, dit-il presque avec fierté, ils font n'importe quoi. Ils viennent se cacher, ils se droguent, ils jouent de la musique...

Le poids de cette main sur sa poitrine était intolérable. La simple idée de la chair dans ce monde étriqué et sordide — celui de sa belle-mère, le sien, celui des clients de l'hôtel — le dégoûtait. Il y avait quelque chose dans les façons de cette femme vieillissante qui dépassait un simple geste de réconfort.

— Otez votre main, dit-il.

Mais elle croyait comprendre son esseulement. Après tout, c'était le mari de Rosa, et c'était son devoir à elle de calmer sa douleur. Et puis, ce contact l'apaisait, elle aussi. Elle se rendait compte que Rosa avait choisi ce qu'elle considérait comme un vrai mâle.

— Vous n'êtes pas seul, Paul, murmura-t-elle, palpant son large torse, je suis là.

Il souleva doucement la main de sa belle-mère et la regarda, et elle éprouva une soudaine bouffée de gratitude. Il l'approcha de ses lèvres, puis d'un geste brutal et précis, il la mordit.

Mère sursauta et repoussa la chaise pour s'éloigner de lui. Elle palpa sa main endolorie.

— Vous êtes fou! cria-t-elle. Je commence à comprendre...

Elle ne termina pas sa phrase, mais Paul savait ce qu'elle voulait dire : qu'il avait poussé Rosa au suicide. Ça lui était égal de jouer ce rôle. Ça n'était pas plus absurde que celui qu'il jouait actuellement de mari éploré, d'amant clandestin, d'employé d'hôtel.

Il bondit du divan.

— Vous voulez que je fasse cesser cette musique? demanda-t-il, traversant la chambre pour se diriger vers le coffret de fusibles. Très bien, je vais les faire taire.

— Qu'est-ce que vous faites Paul? demanda-t-elle craintivement.

— Qu'est-ce qui se passe, Mère, vous êtes inquiète? (Il s'était mis à parler anglais, d'un ton vif et méprisant.) Ne vous inquiétez pas, il n'y a pas de quoi. Vous savez, il en faut si peu pour leur faire peur.

Il abaissa l'interrupteur et toute la pension se trouva brusquement plongée dans l'obscurité. Elle eut un sursaut et se cramponna à la chaise. Paul s'approcha d'elle.

— Vous voulez savoir de quoi ils ont peur? dit-il d'une voix forte. Je vais vous dire : ils ont peur du noir, figurez-vous.

Il la prit sans douceur par le bras et l'entraîna dans le vestibule.

— Venez, Mère. Je veux vous présenter mes amis.

— La lumière, dit-elle. Rallumez la lumière!

Il l'entraîna jusqu'au pied de l'escalier. Le saxophone s'était tu brusquement. Dans les étages de l'hôtel, on entendait des portes qui claquaient, des pas traînants, des voix étouffées qui parlaient en diverses langues.

— Je crois que vous devriez faire la connaissance de quelques clients de l'hôtel, dit Paul avec une ironie désespérée, (Et il se mit à crier dans la cage de l'escalier :) Hé, les amis! J'aimerais que vous disiez bonjour à Maman.

Quelqu'un craqua une allumette sur le palier du premier étage, et Paul distingua les formes vagues et fantomatiques massées là-haut. Une autre allumette s'enflamma. Il entrevit des visages qu'il voyait depuis des années — ces épaves humaines dont il faisait partie —, des visages grotesques et fragiles, et qu'il méprisait encore davantage à cause de leur peur.

— Maman, cria-t-il, en désignant les visages d'une main et en lui étreignant le bras de l'autre, je vous présente Jojo le Camé. Et Monsieur Saxophone, c'est notre filière, Maman, de temps en temps il nous refile un peu de neige...

Elle essaya de se dégager.

— Lâchez-moi! fit-elle haletante, mais Paul tenait bon.

— ...et là-bas, c'est la belle Miss Pompiers 1933! Elle se débrouille encore pas mal quand elle enlève son ratelier. Vous ne voulez pas dire bonjour, Maman? Braves gens, je vous présente Maman!

Le brouhaha dans toutes les langues se fit plus fort.

— La lumière, Paul, supplia-t-elle. Allumez la lumière.

— Oh, vous avez peur du noir, Maman? Ah, la pauvre petite. Très bien, ma jolie, je vais m'occuper de vous, ne vous inquiétez surtout pas.

Paul craqua une allumette et son visage apparut, blême, dans l'ombre. Il eut un long rire sans gaieté, jeta l'allumette et repassa dans la pièce. Il remit l'interrupteur en place et la lumière revint. Comme c'était facile de les affoler, songea-t-il. Ils semblaient avoir tout aussi peur d'être tués que de tuer.

Il revint dans l'entrée. La foule des clients en peignoirs, en imperméables hâtivement enfilés, se dispersa en murmurant comme des bêtes apeurées. Sa belle-mère était toujours cramponnée à la rampe et le regardait comme si elle n'en croyait pas ses yeux.

Un client arriva de la rue, portant une liasse de journaux sous son bras. Il était plus âgé que Paul, mais il avait l'air soigné et distingué avec son manteau bien brossé et son chapeau tyrolien qu'il s'empressa d'ôter.

— Bonjour, Marcel, dit Paul sans émotion.

Il lui tendit sa clef. Marcel fit un petit salut poli de la tête à la belle-mère de Paul et s'engagea dans l'escalier. Elle le suivit d'un regard approbateur.

— Il vous plaît, Mère? demanda Paul.

Elle flaira un nouveau piège et ne répondit rien. Il eut un sourire sarcastique et secoua la tête. Pour lui, c'était l'ultime et accablante ironie de cette soirée.

— Allons, dit-il, c'était l'amant de Rosa.

12

Le temps paraissait suspendu entre les façades de pierre tarabiscotées des immeubles de la rue Jules-Verne. Jeanne ne s'engageait jamais dans la rue sans d'abord regarder derrière elle, au cas où quelqu'un qu'elle connaissait l'observerait. Elle avait appris par cœur l'ordre dans lequel étaient garées les voitures. La toile de couleur vive qui protégeait la terrasse du café, l'échafaudage abandonné en face de l'immeuble, tout cela était maintenant pour elle un spectacle parfaitement familier.

Elle retrouva avec plaisir la pénombre froide et qui sentait le renfermé de l'entrée. La fenêtre de la loge était fermée, et l'immeuble semblait plus sévère que jamais. Jeanne entra dans l'ascenseur et posa entre ses pieds le tourne-disques portable qu'elle trimballait. Le sentiment d'inquiétude que lui inspirait Paul ne faisait que s'affirmer : comme toujours, elle avait envie de lui, et elle redoutait de le trouver là. Mais leur dernière rencontre s'était terminée de façon si différente, si gentille, qu'elle éprouvait maintenant une certaine impatience qui ne faisait que croître à mesure que l'ascenseur la rapprochait de l'appartement.

Au moment où elle tournait la clef dans la serrure, elle crut percevoir une petite musique aux accents étouffés. La porte s'ouvrit sur ce qu'elle pensait être des pièces vides. Ses pas retentirent sur le dallage, et elle aperçut le salon rond et le matelas qu'elle connaissait si bien, baignés de soleil. Elle cria : « Il y a quelqu'un? » sachant qu'on ne lui répondrait pas.

Elle posa le tourne-disques par terre et se dirigea vers les meubles entassés sous le drap.

La forme en était un peu inquiétante, et Jeanne les interpella d'un ton joyeux, s'efforçant de minimiser sa déception.

— Quelque chose qui ne va pas? Vous avez vos problèmes aussi. N'est-ce pas?

Elle n'avait pas remarqué que Paul était allongé au fond de la pièce, silencieux et distrait. Sur le sol auprès de lui se trouvaient un camembert, un croûton de pain et un couteau. Il n'avait sur lui que son pantalon et un maillot de corps, il avait les cheveux en désordre, et le manque de sommeil avait laissé des cernes autour de ses yeux. Il ne leva même pas la tête lorsqu'il finit par dire :

— Il y a du beurre dans la cuisine.

Jeanne se retourna vers lui.

— Tiens, tu es là, dit-elle, en dissimulant sa frayeur. Pourquoi n'as-tu pas répondu?

— Va chercher le beurre, lui dit-il.

— Il faut que je me dépêche. J'ai un rendez-vous.

— Va chercher le beurre!

Elle le regarda avec stupéfaction. Le jour précédent était oublié. Il avait l'air d'une brute maintenant, allongé là sur le parquet plein de poussière, appuyé sur un coude, des croûtes de pain collées à ses lèvres. Il grignotait son fromage comme un animal en cage attendant l'heure d'être nourri.

Jeanne s'en alla dans la cuisine et revint avec le beurre enveloppé dans son papier métallisé. Elle le jeta sur le parquet devant lui et seule cette petite manifestation de violence parut retenir son attention. Paul la regarda avec un air vaguement intéressé. C'était son premier geste de défi, mais elle n'était pas assez forte pour s'en aller.

— Ça me rend folle, dit-elle dans son anglais un peu décousu, s'accroupissant en tailleur devant lui. Tu es tellement sûr que je reviendrai.

Paul se contenta de tartiner le beurre sur ce qui restait de son croûton et le mangea en mâchant bruyamment. Il repoussa le paquet et s'essuya la bouche du revers de la main. Il ne voulait rien faire pour tenter de la convaincre de rester, mais si elle restait, il allait mettre sa force à l'épreuve.

— Qu'est-ce que tu crois? demanda-t-elle d'un ton ironique, lui parlant en français bien qu'elle sût qu'il préférait l'anglais. Qu'un Américain vautré sur le parquet d'une maison vide, en train de manger du fromage et du pain rassis, est intéressant?

Elle le tentait, mais il restait calme. Le voir ainsi affalé la dégoûtait, et en même temps l'excitait. Elle se demandait ce qu'il pouvait bien y avoir d'attirant dans son apparence si peu soignée, alors que c'était humiliant et exaspérant, tout comme son mépris. Quant à Paul, depuis la veille au soir, il sentait sa colère et sa frustration monter et c'était sur elle maintenant que cela retombait, aveuglément. Après tout, elle n'était qu'un corps : c'était ça leur pacte.

Jeanne pianotait nerveusement sur le parquet. Elle faisait ça avec les jointures de ses doigts, ce qui rendait un son creux.

— Qu'est-ce qu'il y a là-dessous? fit-elle, en frappant de nouveau le parquet. C'est creux. Tu n'entends pas?

Paul se souleva légèrement et rampa en avant. Il frappa le parquet du poing, puis passa l'ongle sur le bord du tapis, révélant ce qui semblait être le couvercle d'une cachette.

— Ne l'ouvre pas, dit Jeanne.

— Pourquoi pas?

— Je ne sais pas. Ne l'ouvre pas.

Elle saisit le poignet de Paul.

— Comment ça? fit-il. Il ne faut pas que je l'ouvre?

Il l'observa, avec un intérêt grandissant. Il aurait pu facilement ouvrir la cachette, mais il préférait attendre. L'attente l'excitait.

— Attends, dit-il, libérant brusquement sa main. Il y a peut-être des bijoux là-dedans. Il y a peut-être de l'or.

Jeanne n'osait pas le regarder. Elle ne voulait pas qu'il ouvre le couvercle, mais elle répugnait à lui expliquer pourquoi.

— Tu as peur? fit-il d'un ton railleur. Tu as toujours peur.

Il tendit de nouveau la main vers la lame de parquet.

— Non, dit-elle. Il y a peut-être des secrets de famille là-dedans.

Paul retira sa main.

— Des secrets de famille? fit-il d'une voix étrangement soumise. Je vais te parler des secrets de famille.

Il lui saisit le cou d'une main et le bras de l'autre, et la força à s'allonger à plat ventre sur le parquet. Il éprouvait une colère déraisonnée en l'entendant parler de famille, cette grande institution morale, songea-t-il, divine et intouchable création, conçue pour engendrer la vertu chez les bons citoyens, tabernacle de toutes les vertus et, soit dit en passant, parangon de tout ce qu'il exécrait le plus au monde.

Jeanne se débattit faiblement.

— Qu'est-ce que tu fais? demanda-t-elle, tandis qu'il glissait une main sous son corps et déboutonnait ses jeans.

— Je vais te parler de la famille, dit-il avec violence, tirant son pantalon jusqu'à la hauteur de ses genoux et dénudant ses fesses. De cette sainte institution, destinée à engendrer la vertu chez les sauvages.

Jeanne résistait en haletant. Paul l'immobilisa du poids de son corps, une main lui serrant la nuque. Un moment, il parut hésiter sur ce qu'il allait faire, puis il aperçut le petit paquet de beurre. Du pied, il l'approcha de lui.

— Je veux que tu répètes après moi, dit-il, en enfonçant dans le beurre les doigts de sa main libre.

Sans se presser, il l'appliqua sur son anus, la graissant, se dit-il, comme un porc qu'on prépare pour la broche. Ses doigts agissaient avec une brutale efficacité.

— Non et non, insista-t-elle, sans croire vraiment qu'il irait jusqu'au bout. Non!

Paul déboutonna son pantalon et s'en débarrassa. Il se mit à genoux, appuyant toujours sur la nuque de Jeanne, et poussa de force ses jambes entre les siennes. Jeanne sentit qu'on l'apprêtait pour l'assaut, et elle en éprouva de la terreur et un sentiment de totale impuissance.

— Maintenant, répète avec moi. Sainte famille... commença-t-il en lui écartant les fesses de ses doigts vigoureux. (Il était allongé sur elle, cherchant l'entrée.) Allons, répète! Sainte famille, église des bons citoyens...

— Eglise, cria-t-elle... des bons citoyens.

Elle se mit à hurler, le visage pressé contre les lames du parquet, fermant les yeux de toutes ses forces. La douleur était brusque et déchirante. Le sexe de Paul était devenu une arme.

— Répète! ordonna-t-il, le souffle rauque. Les enfants sont torturés jusqu'à ce qu'ils disent leur premier mensonge...

— Les enfants...

100

Elle poussa un nouveau cri tandis qù'il s'enfonçait plus profondément en elle.

— Où la répression brise la volonté, dit-il, les mots sifflant entre ses dents.

— Où la répression brise...

Elle se mit à sangloter, et c'était autant d'humiliation que de douleur. Paul renouvela son assaut, son corps entraîné par un rythme pressant et qui allait s'accélérant.

— Où la liberté est assassinée...

— La liberté est...

— La liberté est assassinée par l'égoïsme.

Il enfonça les doigts dans sa chair, comme si elle risquait de s'évaporer et de le planter là. Il n'y avait plus moyen de lui échapper maintenant, de rien refuser, et les sanglots qui la secouaient ne semblaient que le pousser plus avant.

— Famille...

— Famille, répéta-t-elle, dans un long gémissement qui allait s'étouffant.

— Ta saloperie de bordel de famille, haleta-t-il, se crispant, ô mon Dieu, Seigneur!

Jeanne était coincée contre le parquet, totalement impuissante. Le spasme qui secouait Paul s'apaisa, mais il ne se retira pas. Il lui prit les cheveux d'une main et lui tourna la tête vers la cavité dans le parquet. De l'autre main, il souleva légèrement la lame.

— Ouvre! lui dit-il.

— Pourquoi? fit Jeanne entre deux sanglots.

Que pouvait-il vouloir de plus après cette ultime humiliation?

— Ouvre! dit-il.

Elle souleva le tapis, découvrant une cavité dans le plancher de la taille à peu près d'une brique. Elle était vide.

Paul se laissa rouler sur le côté et s'allongea, hors

d'haleine, sur le plancher. Tous les orifices maintenant avaient été violés, tous étaient vides. Et son vide à lui, rien n'était venu le combler.

Lentement, Jeanne enfila ses jeans, étouffant ses sanglots, s'essuyant le nez sur le tissu rugueux de sa blouse paysanne. Elle aurait pu le quitter à l'instant même, mais elle avait le sentiment que son pouvoir à elle était en pleine ascension. Il n'avait pas le droit de la marquer ici — comme une esclave.

Elle passa dans le couloir pour aller chercher son tourne-disques et l'apporta dans le salon, où elle s'agenouilla pour l'ouvrir. Elle déroula le fil et, prenant la fiche, elle l'inséra dans la vieille prise aménagée dans le parquet. Des étincelles bleutées jaillirent aussitôt, et elle retira brusquement sa main sous le choc.

— Merde! cria-t-elle.

Elle regarda Paul, qui semblait remis, un bras protégeant son visage. Jeanne se rappela tout d'un coup qu'elle ne savait pas son nom.

— Hé, toi là-bas! cria-t-elle.

Il se tourna vers elle.

— Oui? fit-il d'une voix un peu pâteuse.

— Une surprise pour toi.

— Quoi?

Paul ne comprenait pas, et elle lui fit signe de s'approcher, faisant semblant de sourire.

— J'ai une surprise pour toi.

Paul se mit à genoux et reboutonna son pantalon.

— Tant mieux, dit-il. J'adore les surprises.

Il ne pensait déjà plus à ce qui venait de se passer : un temple de plus qu'il venait de profaner — et elle lui en voulut plus de cela que de l'acte lui-même. Elle avait envie de lui faire mal, d'électrocuter ce corps puissant, de voir ses forces s'en aller, de déceler chez lui une trace de souffrance physique. Elle avait à peine la patience d'attendre.

— Qu'est-ce que c'est? demanda Paul.

— De la musique, dit-elle, souriant toujours. Mais je ne sais pas comment le faire marcher.

Elle lui tendit le cordon et désigna la prise dans le parquet. Puis elle recula. Paul saisit la fiche et, sans hésitation l'enfonça vigoureusement dans la prise. Il y eut une gerbe d'étincelles et un crépitement, en même temps qu'il sursautait et lâchait le cordon.

— Ça t'amuse? demanda-t-il, en se maîtrisant.

Jeanne n'était pas très sûre.

— Tu sais, dit-elle, il y a un chat qui s'est pris d'affection pour moi. Il ne vient que quand tu n'es pas là. Dès l'instant où tu seras parti, il arrivera. Il me regardera.

Elle avait les yeux pleins de larmes.

— C'est le chat qui te fait pleurer? demanda-t-il, nullement ému.

— Je pleure parce que je savais que tu recevrais une décharge et que je n'ai rien dit. Je pleure à cause de ce que tu as fait. Je pleure parce que je n'en peux plus.

— C'est une phrase pour les gens qui se suicident, dit Paul d'un ton détaché. Il y en a même qui l'écrivent noir sur blanc. Tu vas te tuer?

— Pourquoi me demandes-tu ça?

— Sans raison particulière. (Il s'interrompit.) Tu penses à te suicider au moins une fois par jour, hein?

— Non. Mais j'aime bien l'idée... c'est romantique.

— Je connaissais quelqu'un qui avait l'air de ne jamais y penser, mais qui s'est suicidé.

Jeanne se leva d'un bond.

— Oh, mon Dieu, dit-elle. J'ai oublié mon rendez-vous. Je n'étais venue ici que pour t'apporter le tourne-disques.

— Les rendez-vous, c'est fait pour les manquer.

Elle sécha ses larmes sur la manche de son manteau et le regarda. Paul n'avait pas bougé.

— Et toi? demanda-t-elle en se dirigeant vers la porte.

— Comment ça : et moi?

— Tu vas te tuer?

Paul sourit pour la première fois.

— Je ne suis pas du genre qui se tue, dit-il. Je suis du genre qui tue.

13

La vieille péniche penchait lourdement à bâbord et son nom — l'*Atalante* comme le vieux film de Jean Vigo — était à peine visible parmi la peinture qui s'écaillait à la proue.

Jeanne était souvent passée devant la péniche, amarrée dans le canal Saint-Martin, avec ses guirlandes d'ampoules colorées et l'enseigne lumineuse au-dessus de la cabine annonçant que c'était une salle de bal. L'enseigne était décrochée, les énormes câbles rouillés semblaient à peine capables de maintenir la péniche à flots, et sur la plage avant s'entassaient de vieux meubles, des abat-jour et quelques instruments nautiques en cuivre.

Jeanne se hâtait sur le pavé inégal du quai. Tom et son équipe attendaient patiemment sur la proue, et elle leur fit de grands signes. Il semblait si inoffensif maintenant, si prévisible, auprès de la violence irraisonnée de Paul. Quoi que fît Tom, ce n'était qu'un jeu — un jeu de cinéaste — mais avec Paul, les choses n'étaient jamais pareilles. Chaque fois, il la poussait un peu plus loin, et il n'y avait pas de retour en arrière possible. Elle avait l'impression, lorsqu'elle retrouvait Tom, d'apporter avec elle une nouvelle humiliation plus extrême encore et dont il ne se douterait même jamais. Elle s'habituait peu à peu à cette double vie, mais chaque fois qu'elle quittait Paul, elle se disait qu'elle ne reviendrait pas.

Le capitaine de la péniche était planté au milieu de son bric-à-brac, tenant un cigare dans une main abondamment tatouée.

— Je ne veux rien vendre, lui dit-il, lorsqu'elle monta à bord.

— Tout le monde a quelque chose à vendre, dit Jeanne en souriant.

Il y avait dans cette camelote des objets dont elle pourrait avoir l'usage dans sa petite boutique d'antiquités près des Halles.

Tom s'avança, la prit par le bras et la conduisit doucement jusqu'au bastingage de la proue. Le caméraman plongea les mains dans un sac noir, s'empressant de mettre un nouveau chargeur; le préposé au son s'accroupit sur le pont, se préparant à l'interview. Il se rembrunit quand le capitaine posa sur son phonographe un vieux 78 tours et qu'une voix d'homme nasillarde se mit à chanter *Parlez-moi d'amour*, au milieu d'affreux crépitements.

Tom demanda à Jeanne :

— Quelle est votre profession?

— Je fouine.

Elle sourit à l'adresse de la caméra.

— Je croyais que vous étiez antiquaire, dit-il avec une certaine gravité.

— Non, je suis associée avec les jumelles. C'est moi qui vais fouiner, trouver des choses.

— Quel genre de choses?

— Tout, de 1880 à 1935.

— Pourquoi justement cette période-là?

— Parce que, pour les antiquaires, ces années-là étaient révolutionnaires.

Il la regarda d'un air exaspéré.

— Je ne comprends pas, dit-il. Répétez, voulez-vous. Quel genre d'années était-ce?

— Elles étaient révolutionnaires. Oui, l'Art Nouveau est révolutionnaire comparé au reste du XIXe siècle et à l'époque victorienne. Comparé au bric-à-brac et au mauvais goût.

— Quel mauvais goût?

Tom regarda les membres de l'équipe groupés autour de lui, comme en quête d'une explication; Jeanne de toute évidence ne réagissait pas comme il l'avait prévu.

— Le goût? répéta-t-il. Qu'est-ce que c'est? Et qu'est-ce que vous pouvez trouver de révolutionnaire à collectionner des vieux objets qui ont été autrefois révolutionnaires?

— C'est la bagarre que tu cherches? demanda-t-elle, se rendant compte qu'il la taquinait.

— Bon, ça va.

Il leva les mains dans un geste d'apaisement.

— Où trouvez-vous ces... objets révolutionnaires?

— A des ventes aux enchères, dans différents marchés, à la campagne, chez des particuliers...

— Vous allez chez les gens? De quel genre de gens s'agit-il?

— Des vieilles gens, dit-elle, ou bien leurs fils, leurs neveux, leurs petits-enfants. Ils attendent que les vieux meurent. Et puis ils vendent tout, le plus vite possible.

— Vous ne trouvez pas ça un peu morbide? Franchement, ça me dégoûte un peu. L'odeur des vieilles choses, les restes des morts.

— Non, c'est excitant.

Elle arpentait le pont, enthousiaste maintenant.

— Etant donné la façon dont je procède, expliqua-t-elle, le passé est excitant. C'est une découverte : on trouve un objet qui a une histoire. Tenez, un jour j'ai trouvé le réveil du bourreau de Paris.

— C'est dégoûtant. Vous aimeriez avoir le réveil du bourreau auprès de votre lit ?

Elle s'approcha de lui, les mains sur les hanches.

— Tu cherches vraiment à déclencher la bagarre ? demanda-t-elle. Ou bien est-ce que simplement tu es allergique aux antiquités ?

— Je t'écoute vanter les mérites de cette camelote, parler de ce réveil dégueulasse...

Il s'interrompit, réprimant l'émotion de sa voix puis reprit :

— Et puis je te vois... saine, nette, moderne...

— Moderne ? fit-elle en éclatant de rire. Qu'est-ce que ça veut dire ? C'est une question de mode. Regarde autour de toi. Rien que des robes des années 30 ou 40...

— Les robes, je comprends. Ça me fait penser aux films...

Il étendit les bras, levant les yeux vers le ciel.

— ...des stars, car c'étaient vraiment des stars. Rita Hayworth...

Jeanne secoua la tête, déçue.

— Quand il s'agit de cinéma, alors tu comprends. Ma foi, c'est une façon de refuser le présent. Je vais me faire faire une robe sur le modèle de celle que ma mère portait sur une photo de 1946. Elle était belle, avec ses épaules carrées...

— Eh bien, fit Tom en l'interrompant, ça aussi c'est une façon de refuser le présent.

— C'est simplement beaucoup plus facile que d'aimer quelque chose qui ne nous affecte pas trop directement, quelque chose qui garde une certaine distance, comme la caméra.

C'était une sorte d'accusation. Tom parut vexé, tourna les talons et échangea quelques mots rapides avec le cameraman.

— Les distances ! Tu vas voir... Passe-moi la caméra, je vais reprendre à partir d'ici.

108

Il dit au préposé au son d'accrocher le micro.

— Laisse tourner. Maintenant foutez le camp, vous tous!

Il chassa même la script-girl et se retourna vers Jeanne, l'air furieux.

— Je ne suis pas nostalgique. Le présent, c'est quelque chose. Assieds-toi là-dessus.

Il désigna une balancelle presque en ruine aménagée sur la proue, elle obéit à ses instructions, impressionnée par ce soudain déploiement d'initiatives.

Il continuait à parler tout en réglant la caméra.

— Bouge un peu. Chante.

Jeanne commença à se balancer. Elle fredonna : *Une jolie fille sur une balançoire*, elle jouait son rôle. Tom se mit à rire.

— Tiens, voilà autre chose. Tu sais pourquoi que je les ai renvoyés?

— Parce que tu es furieux, ou parce que tu veux être seul avec moi.

— Et pourquoi est-ce que je veux être seul avec toi?

— Tu as quelque chose à me dire, hasarda-t-elle. En tête à tête.

— Bravo! cria Tom. Quoi donc?

— Quelque chose de gai ou de triste?

— C'est un secret.

— Alors, c'est gai. Quel genre de secret?

— Voyons...

Il fit semblant de réfléchir.

— ...un secret entre un homme et une femme...

— Alors, c'est obscène, fit-elle en riant, ou bien il s'agit d'amour.

— Oui, d'amour, mais ça n'est pas tout.

— Un secret à propos d'amour.

Elle appuya son menton sur son poing. Tom avait toujours l'œil collé au viseur de sa caméra.

— Un secret à propos d'amour où il est question de quelque chose qui n'est pas de l'amour, dit-elle. Je donne ma langue au chat.

— Je voulais te dire que dans une semaine je m'en vais t'épouser.

— Tiens donc!

— Naturellement, ça dépend de toi.

— Et toi?

— Moi, j'ai décidé, tout est prêt...

— Oh! Tom, tout ça me paraît si bizarre. Ça me paraît impossible.

— La prise va être un peu floue. J'ai les mains qui tremblent d'émotion.

Elle se mit à se balancer, levant chaque fois les pieds plus haut.

— Tu n'as pas encore répondu! cria-t-il.

— Parce que je n'y comprends rien.

Elle avait le visage tout rouge. Elle arborait un large sourire. Elle regarda autour d'elle — le canal, le capitaine qui emballait son bric-à-brac dans des caisses, les maisons bordant le quai et les platanes dénudés, le vol bien synchronisé d'un couple de pigeons, et elle n'arrivait à se concentrer sur rien. Lentement, la balancelle s'arrêta.

— Alors? fit Tom, c'est oui ou c'est non?

Une trace d'inquiétude traversa le visage de Jeanne, elle passa les bras autour du cou de Tom.

— Cesse de filmer, murmura-t-elle. C'est toi que je dois épouser, pas la caméra.

Tom ramassa un vieux préservatif et, pour célébrer l'événement, le lança dans l'eau du canal. A leur surprise, il coula aussitôt.

14

Jeanne ouvrit la porte de l'appartement de sa mère avec sa clef. Elle avait monté l'escalier en courant au lieu de prendre l'ascenseur, impatiente qu'elle était d'annoncer la bonne nouvelle. La vue de leur vaste salon confortablement meublé eut sur elle un effet quelque peu refroidissant. Des armes africaines primitives et des objets d'art similaires à ceux qui étaient accrochés dans la villa couvraient tout un mur. La pièce était claire et spacieuse, mais elle donnait une impression de nostalgie, de temps perdu.

Elle se précipita dans la chambre de sa mère.

Une femme belle encore, aux cheveux grisonnants soigneusement coiffés et avec un air d'autorité innée, était penchée sur le lit, encombré de vieux uniformes militaires. Elle serrait contre sa poitrine une paire de bottes en excellent état et remarquablement cirées.

— B'jour, maman, dit Jeanne en l'embrassant.

— Tu rentres tôt.

— Hé oui, figure-toi.

Elle arpenta la chambre, examinant nonchalamment le galon d'or d'une des tuniques, touchant les talons des bottes.

— Je suis de très bonne humeur, annonça-t-elle.

— Bon.

Sa mère brandissait les bottes avec admiration.

— Dis-moi, qu'est-ce que tu en penses? Que je devrais les envoyer à la villa?

— Envoie tout là-bas.

Elle fit une pirouette au milieu de la pièce, les bras levés, faisant voler ses longues mèches.

— De toute façon, Olympe est vraiment la conservatrice du musée de la famille.

— Mais pas les bottes, insista sa mère. Je vais les garder ici avec moi. Ça me donne le frisson rien que de les toucher.

Jeanna ramassa un képi rond incrusté de galons, et le posa de guinguois sur sa tête, puis elle prit une lourde tunique de laine kaki et passa la main sur les épaulettes et les boutons d'or.

— Ces uniformes, tous ces trucs militaires, ça ne vieillit jamais.

Elle reposa la tunique et le képi. Le vieux pistolet d'ordonnance de son père était là, dans la commode, elle le sortit de son étui de cuir usé et l'inspecta. Les balles étaient toujours en place.

— Il me paraissait si lourd quand j'étais petite et que papa m'apprenait à tirer.

Elle visa la plante verte dans son pot devant la fenêtre.

— Pourquoi ne l'envoies-tu pas là-bas aussi? demanda-t-elle à sa mère. Qu'est-ce que tu vas faire d'un revolver?

— Dans toute maison respectable, une arme à feu est toujours utile.

Elle se mit à ranger les uniformes dans les valises ouvertes.

Jeanne remit le pistolet en place, referma le tiroir; elle se mit à fouiller dans une caisse pleine de vieux papiers.

— Tu ne sais même pas comment le tenir.

— L'important, c'est d'en avoir un. Ça fait son effet.

Jeanne découvrit dans la caisse un portefeuille en cuir rouge tout craquelé.

Tournant le dos à sa mère, elle l'ouvrit et en retira la vieille carte d'identité du colonel. Puis elle découvrit une photographie cachée sous la carte, toute jaunie et craquelée; c'était la photo d'une jeune Arabe, exhibant fièrement ses seins nus devant l'objectif.

Jeanne cacha le portefeuille dans son sac. Elle se tourna vers sa mère et lui montra la photo.

— Et elle? qui est-ce?

Sa mère fronça les sourcils de façon presque imperceptible. De toute évidence, cette fille avait été une des nombreuses maîtresses du colonel durant ses campagne africaines.

— Beau type de Berbère, dit-elle avec dignité, tout en continuant à emplir les valises. Une race robuste. J'ai essayé d'en avoir quelques-unes à la maison, mais elles font des domestiques épouvantables.

Elle était vraiment la contrepartie en femme du soldat de métier réussi. Un modèle de perfection et de stoïcisme dans l'épreuve. Son devoir maintenant était envers la mémoire vénérée de son vaillant mari : elle ne laisserait rien la souiller.

Elle referma la valise d'un geste décidé et la déposa sur le tapis. Elle sourit à sa fille.

— Je suis contente d'avoir pris la décision d'envoyer tout ça à la campagne. Ça finit par s'entasser.

Jeanne l'embrassa affectueusement.

— Bientôt, tu auras toute la place que tu voudras.

Sa mère la regarda, mais Jeanne tourna les talons et se dirigea vers la porte.

— Il faut que je m'en aille. Je n'ai pas fini de travailler. J'étais simplement passer te dire...

Elle s'arrêta sur le palier et sa mère la suivit. Jeanne pressa le bouton d'appel de l'ascenseur.

— Pour me dire quoi? demanda sa mère.

— Que je me marie.

Elle ouvrit la porte de l'ascenseur et pénétra dans la cabine.

— Tu quoi?

Sa mère saisit la porte en fer forgé de l'ascenseur, contemplant sa fille d'un air incrédule.

— Je me marie dans une semaine, lança Jeanne en disparaissant à son regard.

En se rendant à la boutique, Jeanne s'arrêta dans un appareil à photos automatique à la station de métro. Elle introduisit les pièces dans la fente, tira le petit rideau en matière plastique et se trouva seule, juchée sur un tabouret de bois inconfortable, confrontée avec son propre reflet dans le miroir.

L'éclair du flash se déclencha; elle tourna la tête vers la droite, puis vers la gauche, attendant chaque fois que l'appareil la photographie.

D'un geste impulsif, elle déboutonna sa blouse et darda ses seins nus vers l'objectif.

— Beau type de Berbère, dit-elle, tandis que le dernier flash jaillissait.

En attendant sur le quai du métro, Jeanne regardait les gens se hâter d'un air affairé, certains trimballant des valises, et parmi eux de nombreux étrangers. Elle tâta dans sa poche la photographie de la jeune Berbère, et celles qu'elle venait de prendre d'elle-même. La première lui avait révélé sur son père quelque chose dont elle ne s'était jamais douté.

Elle le considérait maintenant comme un être capable d'avoir des désirs sexuels et d'en inspirer. Même lui avait dû avoir une vie secrète et cette idée piquait sa curiosité. Si sa mère avait su, peu lui importait maintenant. Comme les gens avaient vite fait de s'accommoder des exigences de la chair! En se photographiant avec les seins dénudés, elle avait l'impression d'avoir établi de nouvelles relations avec son père. Elle avait aussi fait cela pour rire, se dit-elle, et elle avait envie de partager cette plaisanterie avec un de ses amants. Puis elle se rendit compte qu'aussi bien Paul que Tom désapprouveraient, mais pour des raisons différentes : Tom trouverait cela vulgaire, et Paul se moquerait de sa sentimentalité.

Jeanne monta dans le wagon et traversa la ville en pensant à l'étrange aventure qu'elle vivait, sans se soucier des autres voyageurs. L'idée que son père ait pu avoir une liaison semblait justifier à ses yeux ses rencontres avec Paul. Mais si elle devait vraiment épouser Tom, il lui faudrait procéder à une sorte d'ajustement, du moins dans son esprit, sinon tout cela allait finir en catastrophe.

Elle sortit du métro et passa devant la carcasse des anciens pavillons des Halles pour gagner sa boutique d'antiquités.

La première chose qu'elle remarqua, ce fut que la vitrine avait besoin d'être lavée. L'unique pièce qui constituait le magasin était une véritable jungle : des lampes, des portemanteaux, les pieds fuselés de chaises renversées, et un canapé sur lequel s'entassaient des bouteilles poussiéreuses. Un tonneau plein de vieilles cannes était près de la porte.

Au fond de la boutique, ses assistantes, Monique et Mouchette, étaient occupées à déballer toute une caisse de bric-à-brac. Jumelles, elles portaient toutes deux leurs cheveux blonds très longs et leurs jeans étaient parsemés de pièces de tissu plus clair. Techniquement, elles étaient les assistantes de Jeanne. Elle avait ouvert la boutique avec l'argent de sa mère, mais c'étaient principalement les jumelles qui affrontaient les riches bourgeoises d'Auteuil venues acheter la camelote de Jeanne. Elles étaient plus jeunes que Jeanne, mais comme elles avaient participé aux barricades de 68 alors qu'elles étaient encore au lycée, elles avaient tendance à la traiter comme une sœur cadette un peu folle.

— Bonjour! lança Jeanne. Je me marie.

Les jumelles se redressèrent en repoussant les cheveux qui leur tombaient devant les yeux. Elles tournèrent vers Jeanne des yeux incrédules, puis se regardèrent.

— Qu'est-ce que ça va te faire d'être mariée? demanda Monique.

Elle savait que les deux sœurs n'aimaient pas Tom.

— Je serai plus calme, plus organisée, dit Jeanne en déboutonnant son manteau. (Elle décida de les aider à dépaqueter et à marquer les étiquettes, de jouer la propriétaire responsable qu'elle aurait bien aimé être.) J'ai décidé de devenir sérieuse.

Les jumelles se contentèrent d'éclater de rire.

— Qu'est-ce que vous feriez à ma place? demanda Jeanne.

— Je me taperais sur la tête, dit Mouchette.

— J'entrerais au couvent, dit Monique.

Pour renoncer à faire l'amour, songea Jeanne. Elle entreprit d'ôter son manteau, puis s'arrêta. Elle allait commencer par annoncer à Paul qu'elle se mariait, que leur aventure était terminée.

Après tout, le mariage de ses parents avait duré, sans doute à cause d'un renoncement analogue chez son père. Pour le moment, elle se sentait terriblement forte.

— J'ai pris une grande décision, déclara-t-elle en reboutonnant son manteau. Après aujourd'hui, je ne le reverrai plus jamais.

— Pas de mariage? cria Mouchette.

— Si, dit Jeanne par-dessus son épaule. Je me marie. Je suis une femme libre!

Monique et Mouchette échangèrent un coup d'œil, plus déconcertées que jamais.

— Je ne la comprendrai jamais, dit Monique.

— En tout cas, dit Mouchette, on ne dit pas « libre », on dit « libérée ».

15

Une femme libre! Jeanne tournait et retournait la phrase dans son esprit en sortant de la boutique. Plongée qu'elle était dans ses pensées, elle ne remarqua pas la camionnette garée le long du trottoir.

A l'intérieur, dissimulés derrière des piles de cartons, Tom et son équipe étaient agenouillés, entassés au milieu du matériel d'enregistrement, de la caméra et d'un enchevêtrement de câbles. Tom colla son œil au viseur, faisant un zoom sur Jeanne au moment où elle se précipitait en courant vers le coin de la rue. La script-girl, ses cheveux noués dans un foulard, était agenouillée près de lui, leurs épaules se touchaient, mais Tom était tout occupé par sa proie.

— Si j'étais à la place de Jeanne, dit la script-girl, après un numéro comme ça, je ne voudrais plus entendre parler de mariage.

Tom changea de position pour avoir une meilleure vue. Le moteur démarra bruyamment, mais le chauffeur attendit de voir si Jeanne allait héler un taxi au coin de la rue.

— Tu te conduis comme un détective privé, dit la script-girl à Tom.

Sans répondre, il passa la main sur le chandail

qu'elle portait jusqu'au moment où il sentit le petit sein ferme. Il le pinça pour jouer.

— Peut-être que tu aimerais être à sa place, dit-il sans décoller son œil du viseur.

Jeanne tourna le coin et remonta la rue. Le chauffeur suivit d'abord à faible distance, puis arriva à sa hauteur. Tom passa la caméra à son opérateur, en faisant signe de commencer à filmer. Ils étaient silencieux maintenant et tendus.

Les voitures s'arrêtèrent au feu rouge. Jeanne brusquement se retourna et se dirigea droit vers la camionnette.

— Elle nous a vus, Tom. On est baisés.

Elle s'approcha. Tom se pencha, faisant signe à son équipe d'en faire autant. Indépendamment du tournage il avait une raison de suivre Jeanne, bien qu'il n'aimât pas en convenir ni même se l'avouer. Il trouvait que depuis quelques jours elle se comportait de façon étrange : elle arrivait en retard, elle repartait brusquement, elle se disputait avec lui dans une station de métro. Il y avait quelque chose qui n'allait pas.

Une portière claqua auprès de la camionnette. Tom regarda avec prudence par la vitre. Jeanne s'était installée sur la banquette arrière d'un taxi.

— On n'est pas baisés, les enfants, dit-il.

Le taxi démarra.

— Garde tes distances, dit Tom à son chauffeur. Il ne faut pas qu'elle nous voie.

Le taxi s'arrêta au feu rouge suivant. Jeanne se pencha pour donner des instructions au chauffeur. Elle ne se doutait pas qu'à quelques mètres d'elle, l'objectif d'une caméra était braqué sur sa personne. Le feu passa au vert et la camionnette prit place derrière le taxi.

Jeanne ne faisait pas attention au monde extérieur. Elle ouvrit son sac à main, et en tira son nécessaire à maquillage. Elle se brossa les cils et dessina soigneusement le contour de sa bouche avec un bâton de rouge à lèvres magenta.

Le taxi s'arrêta juste au viaduc du métro. Les voyageurs descendaient en foule de la station et elle se demanda vaguement si Paul se trouvait parmi eux. Elle descendit, régla précipitamment sa course au chauffeur, puis traversa la rue, se dirigeant vers le Café du Viaduc et les façades familières des immeubles de la rue Jules-Verne.

Tom et son équipe étaient agenouillés, pressant le nez contre la petite vitre arrière de la camionnette.

— Où sommes-nous? demanda-t-il en voyant Jeanne passer devant le café.

— Rue Jules-Verne, dit le chauffeur. A Passy.

— Le mystère est complet.

Tom haussa les épaules et fit signe au cameraman de continuer à filmer. L'idée lui vint que Jeanne se rendait peut-être chez un autre amant.

— Bon, dit-il nerveusement. Maintenant tu la dépasses.

Jeanne était presque arrivée devant l'immeuble à la grande porte en fer forgé. La camionnette la dépassa.

La rue était, comme toujours, calme et presque déserte. Les échafaudages se dressaient en face comme le squelette d'un monstre préhistorique, et le grondement lointain du métro parvenait aux oreilles de Jeanne. Elle s'arrêta devant la porte aux vitres jaunies.

La camionnette s'arrêta à son tour, le moteur tournant au ralenti.

Jeanne s'approcha de la porte de l'immeuble. Quelque chose dans la rue arrêta son regard : une camionnette. La portière arrière était entrebâillée. Un long cylindre noir dépassait entre les deux battants de la portière : le micro directionnel. Elle le reconnut aussitôt. C'était le moment de choisir.

La colère et l'affolement cédèrent la place à un plan qui venait de naître dans son cerveau. Elle tourna les talons et continua à remonter la rue.

— Tu es sûr qu'elle ne t'a pas vu, demanda Tom au préposé au son?

— C'est pratiquement impossible, dit-il en rentrant le micro presque entièrement dans la camionnette, tandis qu'ils repartaient lentement.

— Fais de ton mieux, dit Tom. Essaie simplement d'avoir le bruit de ses pas et puis un peu de bruits d'ambiance.

Jeanne avait envie de hurler. Elle avait envie de se précipiter sur Tom, elle avait envie de s'enfuir et qu'on la laisse tranquille. La camionnette maintenant était si voyante que Jeanne avait envie de rire, ou de faire des gestes obscènes. Mais ce serait entrer dans le jeu de Tom. Il valait mieux se payer sa tête, et d'une telle façon qu'il ne pourrait pas manquer de s'en apercevoir.

Elle s'arrêta au coin de la rue suivante. Sur le trottoir d'en face se dressait une église romane, aux pierres noircies par l'âge et par la poussière. Sans regarder ni à droite ni à gauche, elle traversa et entra furtivement par la lourde porte de bois.

— Stop! dit Tom au chauffeur. (Et il se tourna vers son équipe :) Plus de son!

Il ouvrit la portière arrière et sauta dans la rue.

— Sur la pointe des pieds maintenant, dit-il tandis que les autres descendaient derrière lui.

Tom avait l'impression d'avoir enfin découvert ce qui faisait l'essence même de Jeanne. Il n'aurait jamais cru qu'elle avait des dispositions religieuses. Cela lui plut. Cela confirmait sa pureté.

Il faisait sombre dans l'église presque déserte. Une rangée de cierges vacillants occupaient un recoin. L'autel n'était illuminé que par la faible lueur du jour, filtrant par les vitraux encrassés, tout en haut de la chapelle. Le cameraman porta son viseur à son œil et, suivant les signaux de Tom, filma les vitraux puis descendit par un large panoramique qui balaya la nef, jusqu'au moment où il eut Jeanne dans le champ.

Elle était agenouillée dans un confessionnal, les mains jointes dans la prière.

— Zoome sur elle, ordonna Tom.

Et il s'avança furtivement avec les autres. Ils approchèrent jusqu'au moment où ils purent entendre distinctement ses paroles.

— Tu es un salaud, Tom, disait-elle, le regard droit devant elle. Tu es un salaud, un salaud, un abominable salaud. Je te méprise. Je te déteste.

Tom approcha encore, n'en croyant pas ses oreilles. Il s'arrêta auprès d'elle, quêtant ses explications, mais incapable d'articuler un mot. Elle poursuivait sa litanie, sans même lever les yeux.

La script-girl s'avança et prit Tom par le bras.

— Ça suffit, murmura-t-elle.

— Tu as raison, dit-il. Elle m'a vraiment baisé.

L'équipe le suivit dans la rue. Sans un mot ils remontèrent dans la camionnette et rechargèrent leur équipement. Tom était furieux, il se sentait ridicule. La camionnette démarra sans douceur et remonta la rue Jules-Verne.

Il faisait de plus en plus sombre dans la nef. Une brise venant d'on ne sait où faisait danser la flamme des cierges. Pendant quelques minutes, Jeanne demeura immobile. Elle savait qu'elle avait fait souffrir Tom, mais il le méritait. Elle crut un instant qu'elle allait pleurer de déception : elle avait manqué sa chance de trouver Paul à l'appartement.

Elle sortit dans le soir froid, se demandant si elle le reverrait jamais.

16

Pour une fois, l'hôtel était silencieux. Paul ferma à clef la porte d'entrée, après avoir jeté un coup d'œil au café d'en face, puis il éteignit la lampe — toute une série de gestes familiers et de plus en plus ennuyeux. Il songea à la satisfaction qu'il éprouverait à fermer la porte au nez de tous ses clients au lieu de les enfermer dans l'hôtel. A vrai dire, l'argent ne l'intéressait plus. Il se sentait affreusement seul. Le lendemain, le médecin légiste devait rendre le corps de Rosa. Sans nul doute, songea-t-il, sa belle-mère et lui prendraient un plaisir macabre à ce retour des cendres.

Il regagna sa chambre, prit dans sa penderie une bouteille de Jack Daniels et se versa un verre. Il le vida d'un trait d'une main ferme, mais il se sentait l'estomac crispé et il avait froid. Il prit sa robe de chambre dans la penderie et l'enfila, nouant la ceinture sur son ventre. La chambre ne contenait rien d'autre qui parût lui appartenir — tous les livres et toutes les photos étaient à Rosa, puisque Paul n'aimait pas les souvenirs — mais il se sentait à l'abri là et répugnait à en bouger. Marcel l'avait invité à monter dans sa chambre. Une étrange invitation. Il parlait toujours de Marcel, avec un humour un peu amer, comme de l'amant non officiel de sa femme. Ça donnait à la chose un air plus moche, plus désespéré. Bien sûr lui aussi avait eu des maîtresses — des servantes de bar, de tristes vendeuses, tous les corps qui se présentaient à lui — mais c'était surtout par habitude.

Rosa, elle, semblait avoir d'autres conceptions. En tant qu'amant officiel, Paul estimait avoir droit à certains privilèges, parmi lesquels, l'amour. Quelle présomption!

Il savait qu'il avait fallu du courage à Marcel pour l'inviter dans sa chambre. Combien de nuits Paul était-il resté assis dans cette pièce, à attendre et à regarder l'enseigne lumineuse de pastis sur l'immeuble d'en face pendant que Rosa était avec son amant. Allons, se dit Paul, si Marcel sombrait ce soir dans la sentimentalité, il en serait peut-être réduit à faire passer la tête de Marcel à travers une des minces cloisons qui séparaient les chambres. D'un autre côté, peut-être Marcel aurait-il quelque chose d'intéressant à lui raconter.

Paul grimpa l'escalier et frappa à la porte de Marcel.

La réponse fut courtoise et immédiate.

— Entrez!

Paul pénétra dans une chambre étroite, encombrée de livres et de magazines, et baignée de la chaude lueur que répandait une lampe coiffée d'un abat-jour rouge. Les murs étaient tapissés de reproductions de Lautrec et de Chagall, de photos de paysages arrachées à *Paris-Match*, de tickets de P.M.U., de lettres, de coupures de presse et d'un poster représentant Albert Camus. Marcel était assis à un bureau jonché d'exemplaires du *Monde*, de *France-Soir* et d'une demi-douzaine d'autres quotidiens, occupé à découper un article avec une paire de longs ciseaux. Lui aussi portait une robe de chambre.

— Je ne suis pas venu ici pour pleurer avec vous, lui annonça Paul.

Marcel continuait à jouer des ciseaux. Son calme agaçait Paul.

— Ça ne vous gêne pas si je continue à travailler? demanda Marcel. Ça me distrait après ce qui s'est passé.

Il vit que Paul comparait leurs robes de chambre. Toutes deux étaient du même tissu écossais.

— Ce sont les mêmes, dit Marcel avec une certaine satisfaction. Rosa voulait que nos robes de chambre soient exactement semblables.

L'irritation de Paul ne faisait que croître. Il ne connaissait pas l'histoire des robes de chambre et la trouvait ridicule.

— Vous ne pouvez rien me dire que je ne sache déjà, déclara-t-il en mentant. (Il décida de prendre l'initiative et désigna du doigt toute une pile de coupures de journaux sur le bureau.) Je me demandais pourquoi vous gardiez ça. C'est un travail ou un passe-temps?

— Je n'aime pas le mot passe-temps, répliqua Marcel. C'est un travail pour arrondir mon salaire.

— Alors, c'est sérieux, fit Paul d'un ton moqueur. C'est un travail qui vous fait vivre. Très important.

— Soyez sincère, dit Marcel. Vous ne saviez pas que nous avions la même robe de chambre?

Paul éclata de rire, mais son rire sonnait creux.

— Nous avons un tas de choses en commun, reprit Marcel.

Mais Paul l'interrompit :

— Je sais tout. Rosa m'a souvent parlé de vous.

En présence d'un autre homme, même de quelqu'un d'aussi délicat que Marcel, Paul était capable de faire du sentiment à propos de sa femme sans cette impression de rage impuissante qu'il éprouvait ces temps-ci. Marcel était un homme, et n'avait jamais été une menace, sauf peut-être dans la façon dont Rosa se servait de lui.

— Vous voulez un coup de bourbon? demanda-t-il à Marcel, dans un brusque élan de générosité.

Il se dirigea vers la porte.

— Attendez. (Marcel ouvrit un tiroir et y prit sa propre bouteille de Jack Daniels.) J'en ai aussi.

— Encore un cadeau de Rosa?

— Je ne l'aime pas tellement, mais Rosa voulait toujours en avoir sous la main. Je me suis souvent demandé si, grâce à ces détails, nous ne pourrions pas expliquer, comprendre ensemble...

Paul accepta un verre de bourbon.

— Pendant près d'un an, Rosa et moi... (Marcel bredouillait un peu.) Régulièrement, mais sans passion, dit-il, décidant de ne pas insister sur ce qu'il faisait avec Rosa. Je croyais la connaître aussi bien qu'on peut connaître sa...

— ...maîtresse, termina Paul nonchalamment.

— Mais il y a quelque temps, il est arrivé quelque chose que je n'ai pas pu expliquer.

Marcel désigna un coin du mur blanc près du plafond, où on avait arraché le papier.

— Rosa est montée sur le lit, et a essayé d'ôter le papier avec ses mains. Je l'ai empêchée... elle s'abîmait les ongles. Elle faisait cela avec une violence extraordinaire. Je ne l'avais jamais vue comme ça.

Une idée soudain travaillait Paul.

— Notre chambre était peinte en blanc, dit-il. Elle voulait qu'elle soit différente des autres chambres de l'hôtel, qu'on ait l'impression d'une maison normale. Elle voulait changer la décoration ici aussi, et elle a commencé par les murs.

Paul s'assit lourdement sur le lit. Comme c'était facile pour quelqu'un d'avoir une double vie. Il pensa à

Jeanne, et au fait qu'aucun des deux ne connaissait le nom de l'autre.

Etait-il possible que Rosa eût créé avec Marcel une vision de l'existence absolument sinistre? Et cette vision peut-être était une réplique de sa vraie vie. Pendant un moment, Paul resta silencieux. Il contemplait Marcel avec fascination.

— Vous avez dû être bel homme, dit-il.

Marcel vint s'asseoir sur le lit auprès de lui.

— Pas autant que vous.

— Vous êtes en pleine forme, fit Paul, en le palpant à travers la robe de chambre. Qu'est-ce que vous faites pour le ventre? C'est là que j'ai un problème.

— Ah, j'ai un secret, dit Marcel. (Mais il ne termina pas sa phrase.) Pourquoi Rosa vous trompait-elle avec moi? demanda-t-il brutalement à Paul.

Paul scruta ses yeux au regard candide : cet homme ne comprendrait jamais.

— Vous ne pensez pas que Rosa se soit tuée? demanda doucement Paul.

— J'ai du mal à le croire.

Marcel semblait effrayé par cet aveu. Il se leva et s'approcha de la fenêtre, empoigna une barre coincée dans l'encadrement et se mit à faire des flexions.

— C'est mon secret pour le ventre, lança-t-il.

Paul se contenta de le regarder. De regarder cette reconstruction de lui-même. Rosa l'avait fait s'habiller comme Paul, lui faisait boire le même alcool. Paul avait cherché une lettre de Rosa, n'avait rien trouvé que ses souvenirs futiles et parfois obscènes. Il se rendait compte maintenant que Marcel et la chambre de Marcel représentaient le message qu'il cherchait. La banalité de tout cela était accablante.

Il se dirigea vers la porte et s'arrêta.

— Franchement, dit-il à Marcel, je me demande ce qu'elle vous trouvait.

17

Le soleil matinal ne semblait pas toucher les caver-
nes des Halles; les verrières du toit étaient baignées
d'ombre et, dessous, c'étaient les ténèbres d'un han-
gar énorme et silencieux. D'innombrables carcasses
d'animaux étaient passées sous ce toit — Jeanne avait
souvent vu les quartiers de viande pendus à leurs cro-
chets d'acier — et voilà màintenant que le bâtiment
lui-même était condamné, voué à la démolition. En regardant le pavillon depuis la porte de sa boutique de
la rue de la Cossonnerie, elle se disait que c'était devenu une sorte d'immense morgue. Mais elle n'avait
pas le temps de s'attarder sur des pensées aussi maca-
bres : la mort était une chose qui ne pouvait pas la
toucher, surtout aujourd'hui, où toute l'activité du
magasin se concentrait sur elle, dans sa robe de mariée en vieux satin, ses cheveux en boucles sur sa tête,
tenant dans une main la rose rouge que Tom lui avait
offerte, pivotant lentement pour se faire admirer.

La caméra était installée dehors sur le trottoir, bien
en équilibre sur son trépied parce qu'il n'y avait pas
assez de place dans la minuscule boutique. Le cameraman, penché sur le viseur, se concentrait, pendant que
le préposé au son, agenouillé devant son magnétophone, faisait des essais de micro.

Tom s'agitait derrière la caméra, attendant qu'on commence les prises de vue, son écharpe aux couleurs vives pendant autour de son cou dans un déploiement d'enthousiasme un peu forcé. La propriétaire de la boutique, sentant une vente sûre, avait tenté de persuader Jeanne de choisir la robe de mariée la plus chère, en peau de soie, mais Jeanne avait préféré le style le plus traditionnel, bien que sa robe fût d'occasion et déchirée sous un bras. Par la déchirure, on apercevait le jaillissement du sein ferme et virginal.

Impatientée par les préparatifs de Tom, elle aurait voulu qu'il commence pendant qu'elle parvenait à maîtriser encore son incrédulité. Il remarqua son malaise.

— L'inspiration n'est pas comme une lampe qu'on allume.

— Alors, quel genre de metteur en scène es-tu?

— On n'achète pas des idées comme des saucisses.

Il se tourna vers son équipe :

— Vous êtes prêts? On tourne...

Jeanne regarda Tom prendre le micro et se planter devant la caméra, pour faire son introduction, se dandinant un peu d'un pied sur l'autre. Vraiment, se dit-elle, c'était un romantique aussi incurable qu'elle.

— Nous sommes aux Halles, commença-t-il, tandis que la caméra ronronnait. Dans ces vieilles boutiques sont pendues des robes, des robes qui s'agitent doucement dans la brise... comme des voiles blanches... Ce sont des robes de mariées... (Il fit signe au préposé au son d'avancer et cria :) Moteur!

Jeanne trouva Tom agenouillé à ses pieds, pour ne pas bloquer le champ, et tenant le micro à la hauteur de ses seins.

— Comment voyez-vous le mariage? demanda-t-il.

Elle sentit l'air s'agiter, elle savait que ce n'était pas une brise, mais du vent. Les nuages s'étaient amassés vers le nord. Un air doux en hiver, songea-t-elle, ça voulait toujours dire de la pluie.

— Je le vois partout, dit-elle, toujours.

— Partout ? demanda Tom.

— Sur les murs, sur les façades des maisons.

— Sur les murs ? Sur les façades des maisons ?

Tom avait l'air déçu. Elle se demandait s'ils avaient vraiment la moindre chance de s'entendre, alors qu'elle se sentait crispée rien que d'essayer sa robe de mariée.

— Oui, dit-elle, tournée vers la caméra. Sur les affiches. Et qu'est-ce que disent les affiches ? Qu'est-ce qu'elles cherchent à vendre ?

— Elles parlent de voitures, de conserves, de cigarettes... suggéra Tom.

— Non. Le sujet, c'est le jeune couple devant le mariage, sans enfants, et puis nous les voyons après le mariage avec des enfants. Les affiches ne s'intéressent qu'au mariage, même si elles n'en parlent pas nettement. Le mariage idéal, réussi, ce n'est plus le mariage de l'ancien temps, à l'église, entre un mari déprimé et une femme geignarde. Aujourd'hui, le mariage vanté par la publicité est souriant.

— Souriant ?

— Bien sûr. Et pourquoi ne pas prendre au sérieux ces mariages dont parle la publicité ? C'est le mariage pop.

— Pop !

Pour Tom, c'était une révélation. Il n'avait jamais pensé au mariage en ces termes.

— C'est une idée, dit-il. Pour la jeunesse pop, un mariage pop. Mais si le mariage pop ne marche pas ?

— Ça se répare comme une voiture, dit Jeanne. Le couple, c'est comme deux ouvriers en salopette en train de réparer un moteur.

— Et en cas d'adultère, qu'est-ce qui se passe ? insista Tom.

130

La femme du magasin termina son essayage, et recula, levant les mains dans un geste admiratif.

— En cas d'adultère, dit Jeanne, il y a trois ou quatre ouvriers, au lieu de deux.

— Et l'amour? L'amour c'est pop aussi?

Tom était agenouillé devant elle, sa tête appuyée contre les plis du tissu drapé sur le petit divan. Il levait vers Jeanne un regard plein d'adoration.

— Non, déclara-t-elle d'un ton décidé, l'amour n'est pas pop.

— S'il n'est pas pop, qu'est-ce qu'il est?

Jeanne remarqua que l'équipe était ravie de leur dialogue, et elle se demanda s'ils ne se doutaient pas de quelque chose que Tom ne percevait pas. Derrière eux, le ciel s'assombrissait.

— Les ouvriers vont dans un endroit secret, poursuivit-elle. Ils ôtent leur salopette, redeviennent hommes et femmes, et font l'amour.

Tom était enchanté. Il se leva d'un bond et cria :

— Tu es superbe! Tu as même l'air superbe!

— C'est la robe qui fait la mariée, dit Jeanne modestement.

— Tu es mieux que Rita Hayworth, lança Tom débitant son catalogue de comparaisons cinématographiques. Mieux que Joan Crawford, Kim Novak, Laureen Bacall, Ava Gardner quand elle était amoureuse de Mickey Rooney!

Ces noms ne lui faisaient aucun effet. Elle essayait de croire à son rôle de jeune épousée, mais elle n'y arrivait pas — en tout cas pas l'épouse de Tom — pas maintenant. Elle avait envie d'arracher la robe, de fuir l'adoration puérile de Tom, l'œil de la caméra, les regards de l'équipe et de la femme qui s'était approchée de la porte parce qu'il commençait à pleuvoir.

— Qu'est-ce que tu fais? cria Tom. Arrête!

Il ouvrit la porte et dit au cameraman de continuer à filmer. Mais la pluie tombait plus fort, et la script-girl fut la première à se précipiter à l'abri. Le cameraman ôta sa veste et la jeta sur la caméra. Le préposé au son se mit à rassembler son équipement sous la porte cochère d'à côté.

— Pourquoi ne filmez-vous pas sous la pluie? cria Tom. Pourquoi vous arrêtez-vous?

Le ciel semblait se vider d'un seul coup. Tom se précipita dans la rue pour aider à déplacer la caméra, tandis que les cris de désolation se noyaient sous la pluie battante. Jeanne s'approcha prudemment de la porte, rassemblant dans ses mains les plis de sa robe. Elle était prise d'une brusque, d'une irrésistible envie de voir Paul, de se trouver à l'abri entre les murs circulaires de l'appartement, dépouillée de cette robe et de toute autre obligation.

Elle hésita, puis se précipita sous l'averse et remonta la rue de la Cossonnerie, la pluie la trempant aussitôt, plaquant sur elle le mince satin. Elle avait envie de chanter et elle ouvrit goulûment la bouche pour boire au déluge.

Personne sauf la propriétaire de la boutique ne vit Jeanne s'enfuir. La femme était toujours là, bouche bée, quand Tom revint dans le magasin, trempé, pour trouver la petite plate-forme d'essayage vide.

— Jeanne, dit-il. Où est Jeanne?

— Je ne sais pas, fit la femme, encore abasourdie. Elle s'est précipitée dehors et elle est partie.

— Sous la pluie?

— Sous la pluie. Dans sa robe de mariée.

Ils regardèrent dehors : la rue de la Cossonnerie était déserte; au fond, on voyait se découper la silhouette des pavillons des Halles, brouillée par la pluie.

18

Paul était à l'abri du viaduc et, par-delà les pétales d'acier gris bleu qui soutenaient la voie du métro, il regardait la pluie s'abattre en rafales sur le fleuve. Il serrait son manteau autour de lui, non pas parce qu'il avait froid ni parce qu'il était mouillé — il était arrivé à l'abri du pont avant l'averse — mais parce qu'il aimait cette sensation d'être enveloppé. Il ne s'était pas peigné ce matin, et sa calvitie envahissante n'en était que plus apparente. Il avait l'air plus âgé, plus vulnérable. C'était aujourd'hui qu'on devait ramener Rosa dans la chambre que sa mère lui avait si soigneusement préparée, et Paul se rendait vers une autre chambre pour retrouver un autre corps, bien vivant celui-là, encore qu'anonyme et dépourvu pour lui de toute signification.

L'idée lui vint que cette situation n'était pas sans humour, mais il n'alla pas jusqu'à en rire.

Au même moment, un taxi s'arrêtait rue Jules-Verne et Jeanne en descendait. Elle semblait presque nue sous sa robe trempée. Le léger satin était devenu transparent, prenant la couleur de sa chair, et collait de façon provocante aux contours de ses seins et de ses fesses, révélant même la tache claire de sa toison. La pluie lui avait plaqué les mèches autour du visage.

Le chauffeur de taxi la contempla sans rien dire tandis qu'elle traversait en courant le trottoir pour s'engouffrer dans l'immeuble.

La pluie se mit à tomber moins fort et Paul quitta en hâte l'abri du viaduc, se dirigeant vers la rue Jules-Verne.

C'était étrange d'arriver au même point du temps à partir de circonstances différentes, Paul venant d'un décor de mort violente et d'asphyxie et Jeanne, d'une célébration de la vie et de l'amour.

Jeanne n'avait pas apporté sa clef, et elle se précipita vers la loge de la concierge. La femme était assise, tournant le dos à l'entrée.

— Je vous demande pardon, dit Jeanne, élevant la voix pour se faire entendre au-dessus du crépitement de la pluie.

Mais la femme ne se retourna pas. Un coup de tonnerre ébranla l'immeuble. Jeanne s'éloigna et alla s'asseoir sur la banquette auprès de l'ascenseur. Elle resta pelotonnée là, frissonnante.

Ce fut là que Paul l'aperçut, et il éprouva une joie nouvelle à voir qu'elle était venue à lui avec tant de précipitation et d'abandon. Le bruit de ses pas la fit sursauter, mais quand Jeanne leva un visage plein d'espoir, Paul passa devant elle sans un mot et entra dans l'ascenseur. Ils se dévisagèrent à travers le grillage tarabiscoté.

— Pardonne-moi, dit Jeanne. Tu veux encore de moi?

Paul ne savait pas pourquoi il devait lui pardonner, et d'ailleurs peu lui importait. Il se contenta d'acquiescer de la tête et ouvrit la porte de l'ascenseur.

— J'ai voulu te quitter, je n'ai pas pu, dit-elle précipitamment.

Puis elle se souvint qu'il préférait l'anglais et répéta la même phrase dans sa langue à lui.

Paul ne dit rien. Il contemplait son corps. Les cercles sombres des boutons de ses seins sous le tissu mouillé, le contour de ses hanches étroites, la ligne de ses cuisses pleines. Même le duvet qui lui couvrait les jambes apparaissait à travers le satin, comme si c'était une seconde peau.

L'ascenseur commença à monter.

— J'ai voulu te quitter, répéta-t-elle. Tu comprends?

Paul ne parlait toujours pas, son regard la toisait de la tête aux pieds. Jeanne se mit à soulever l'ourlet de sa robe, se renversant contre la paroi de la cabine, guettant sur le visage de Paul un signe de plaisir. Elle révéla ainsi ses mollets, ses genoux, ses cuisses, puis sa toison. Elle s'arrêta, puis souleva la robe plus haut, exhibant un nombril d'enfant. L'ascenseur poursuivait sa course.

— Qu'est-ce que tu veux d'autre de moi? demanda-t-elle, d'une voix où l'on sentait tout à la fois la gratitude et l'excitation de se dévoiler ainsi.

Il aurait aussi bien pu ne pas l'entendre. Les paroles qu'elle prononçait ne signifiaient rien, comparées à sa présence. Il avança la main et la glissa entre ses jambes, là où elle était tiède et humide. Elle hésita, puis tendit la main à son tour, déboutonnant son pantalon, sa main se perdant parmi le labyrinthe de ses vêtements, jusqu'au moment où elle le tint d'une main ferme et sans équivoque. Leurs bras formaient une croix.

Avec un soupir, l'ascenseur atteignit sa destination.

— Voilà! cria Paul, ouvrant toute grande la porte de l'appartement. (Il se mit à chanter :) *Il y avait une fois un homme, et il y avait une vieille truie...*

La pluie s'engouffrait par la fenêtre ouverte du salon rond, et il s'empressa de la fermer, puis se tourna vers Jeanne en faisant une révérence théâtrale. Jeanne était plantée au milieu de la pièce, frissonnant et riant.

— Tu sais, tu es trempée, dit-il.

Et il la prit dans ses bras. La robe mouillée était lisse comme de la glace, et les cheveux de Jeanne firent une tache d'humidité sur sa poitrine. Il alla dans la salle de bains chercher une serviette.

Jeanne avait envie de fêter tout cela. Elle était la jeune épousée maintenant, c'était leur lune de miel, et elle pivota au milieu de la pièce — comme elle l'avait fait le premier jour — pour se jeter à plat ventre sur le matelas. Elle serra l'oreiller comme une collégienne excitée et se tourna avec impatience vers la porte, en attendant de voir réapparaître Paul. Ce fut alors que sa main toucha quelque chose d'humide sous l'oreiller. Jeanne se redressa et repoussa l'oreiller. Un rat crevé gisait sur le drap, du sang séché autour de sa gueule, son pelage tout humide et poisseux.

Elle poussa un hurlement.

Paul arriva avec la serviette, qu'il laissa tomber sur ses genoux.

— Un rat, dit-il d'un ton détaché.

Mais elle se cramponna à lui en pleurnichant.

— Ça n'est qu'un rat, répéta-t-il, amusé par sa peur irraisonnée. Il y a plus de rats à Paris que de gens.

Paul se pencha et prit le rat par la queue, le laissant se balancer sous son nez. Jeanne eut un hoquet et recula. Elle était écœurée et terrifiée par la vue et le contact du rat, et elle regarda avec dégoût Paul soulever l'animal en ouvrant la bouche.

— Miam, miam, miam, dit-il, en se léchant les babines.

— Je veux m'en aller, balbutia-t-elle.

— Attends, attends. Tu ne veux pas manger un morceau avant, tu n'as pas faim?

Sa cruauté était aussi épuisante que soudaine.

— C'est vraiment la fin, dit-elle.

— Non, c'est çà la fin, dit-il en plaisantant et désignant la queue. Mais je préfère commencer par la tête, c'est le meilleur morceau, voyons, tu es sûre que tu n'en veux pas? Très bien...

Il approcha la tête du rat à quelques centimètrès de sa bouche. Elle détourna les yeux, horrifiée.

— Qu'est-ce qu'il y a? demanda-t-il pour la taquiner. Tu n'aimes pas les rats?

— Je veux m'en aller. Je ne peux plus faire l'amour dans ce lit, ce n'est plus possible. C'est dégoûtant, écœurant.

Elle frissonnait.

— Eh bien, fit-il, on baisera sur le radiateur, ou bien debout contre la cheminée.

Il se dirigea vers la cuisine.

— Ecoute, lança-t-il en tenant toujours le rat par la queue, il faut que je prépare une mayonnaise, car c'est vraiment bon avec une mayonnaise. Je te garderai le croupion.

Il passa dans la cuisine en riant bruyamment.

— Du croupion de rat à la mayonnaise!

— Je veux m'en aller, je veux partir d'ici, cria-t-elle, incapable même de regarder le lit.

C'était extraordinaire, la rapidité avec laquelle l'ambiance avait changé. Impossible de prédire ce qu'il pourrait imaginer ensuite. Le désir qu'elle éprouvait pour lui, sa passion naissante, tout cela s'était évaporé au contact de ce pelage mort et poisseux. Pour la première fois, elle vit la pièce dans tout ce qu'elle avait de sordide. L'odeur du sexe la faisait penser maintenant à la mort. L'audace même dont elle faisait preuve en étant là l'effraya.

— Je n'en peux plus, murmura-t-elle, sans s'adresser à personne d'autre qu'à elle. Je m'en vais, je ne reviendrai jamais.

Elle tournait les talons pour s'en aller au moment où Paul revint. Il s'était débarrassé du rat.

— Quo Vadis, bébé? demanda-t-il d'un ton moqueur.

Il la précéda dans le couloir et alla mettre le verrou à la porte du palier. Jeanne le regarda avec un mélange de dégoût et de gratitude. Au fond, elle n'avait pas envie de partir.

— Quelqu'un l'a fait exprès, dit-elle en regardant Paul d'un air méfiant. Je le sens. C'est un avertissement. C'est la fin...

— Tu es folle.

— J'aurais dû te le dire tout de suite. (Elle voulait mettre au défi cette outrecuidante assurance masculine :) Je suis tombée amoureuse de quelqu'un.

— Oh, mais c'est merveilleux, dit Paul d'un ton moqueur. (Il s'approcha et passa ses mains sur le tissu humide de sa robe, la palpant comme un fruit mûr.) Tu sais, il va falloir que tu ôtes toutes ces fripes trempées.

— Je m'en vais faire l'amour avec lui, insista-t-elle.

Paul ne l'écoutait pas :

— D'abord, il faut que tu prennes un bain bien chaud, parce que sinon tu vas attraper une pneumonie. D'accord?

Il entraîna doucement Jeanne dans la salle de bains et se pencha pour ouvrir tout grands les deux robinets. Puis il prit le bord de sa robe et se mit à le soulever lentement, la dénudant comme elle-même l'avait fait dans l'ascenseur.

— Tu attrapes une pneumonie, dit-il, et alors qu'est-ce qui se passe? Tu meurs.

Jeanne leva les bras, et Paul fit passer sa robe par-dessus sa tête et la jeta derrière lui.

— Et alors, tu sais ce qui se passe?

Elle était plantée devant lui, nue et secouant la tête.

— Je suis obligé de me taper le rat crevé, dit-il.

— Ohhh, gémit-elle en enfouissant son visage entre ses mains. (Elle savait qu'il ne la laisserait jamais l'oublier.)

Paul se remit à chantonner. Il retroussa ses manches et l'entraîna avec douceur jusqu'à la baignoire. L'eau était merveilleusement chaude. Elle s'assit dedans, doucement, sentant les frissons et l'angoisse la quitter. Paul se percha au bord de la baignoire.

— Passe-moi le savon, dit-il.

Il lui saisit la cheville et lui souleva le pied jusqu'au moment où il l'eut au niveau de son visage. Lentement, il se mit à lui savonner les orteils, la plante du pied et le mollet. La douceur avec laquelle il la touchait la surprit. Elle avait l'impression d'avoir les jambes en caoutchouc, tandis que la vapeur s'élevait lentement entre elles et qu'elle sentait sa peau rayonner de chaleur.

— Je suis amoureuse, répéta-t-elle.

Paul ne voulait pas l'entendre. Il passa sa main savonneuse à l'intérieur de sa cuisse jusqu'au moment où il ne put remonter plus haut. Alors, il se mit à faire de la mousse.

— Tu es amoureuse, dit-il avec un enthousiasme feint. C'est délicieux!

— Je suis amoureuse, insista-t-elle.

Et elle commença à gémir. La main de Paul était impitoyable, et Jeanne reposa la tête contre l'émail de la baignoire et ferma les yeux.

— Je suis amoureuse, tu comprends? (Elle haletait, mais poursuivit :) Tu es vieux, tu sais, et tu grossis.

Paul lui lâcha la jambe qui retomba lourdement dans l'eau.

— Je grossis? Ça n'est pas gentil de dire ça.

Il lui savonna le cou et les épaules, sa main descendit vers les seins.

Jeanne était décidée à ce qu'il la prenne au sérieux. Elle percevait aussi un avantage nouveau pour elle : elle le regarda attentivement et se rendit compte que ce qu'elle disait était vrai.

— Tu as perdu la moitié de tes cheveux, et l'autre moitié est presque blanche.

Paul la regarda en souriant, et pourtant ses paroles le rendaient furieux. Il lui savonna les seins, et puis en prit un dans une main et examina les amples contours d'un œil critique.

— Tu sais, dit-il, dans dix ans tu pourras jouer au football avec tes tétons. Qu'est-ce que tu dis de ça?

Jeanne se contenta de soulever l'autre jambe et Paul consciencieusement la savonna à son tour.

— Et moi, tu sais ce que je ferai? demanda-t-il, sa main glissant vers le bas sur la peau douce et lisse de sa cuisse.

— Tu seras dans une petite voiture, dit Jeanne, haletant quand les doigts de Paul lui effleurèrent le clitoris.

— Ma foi, peut-être. Mais je crois que je rigolerai et que je ricanerai pendant tout le trajet jusqu'à l'éternité.

Il lâcha sa jambe, mais Jeanne la garda levée en l'air.

— Comme c'est poétique. Mais je t'en prie, avant de te relever, lave-moi le pied.

— Noblesse oblige.

Il lui baisa le pied puis entreprit de le savonner.

— Tu sais, reprit Jeanne, lui et moi nous faisons l'amour.

— Oh, vraiment?

Paul rit très fort, amusé à l'idée qu'on voulût le taquiner avec une pareille révélation.

— C'est merveilleux. Il baise bien, au moins?

— Magnifique!

140

Son ton de défi manquait de conviction. Paul, cependant, sentait sa satisfaction s'affirmer. Elle devait sûrement avoir un autre amant, mais elle revenait toujours à lui pour ce qu'il estimait être une raison évidente.

— Tu sais, tu es une vraie conne, dit-il. Jamais tu ne te feras aussi bien baiser qu'ici même, dans cet appartement. Maintenant, lève-toi.

Elle obéit, le laissant la faire pivoter. Ses mains, couvertes de mousse, glissèrent sur son dos et sur ses fesses. Paul avait l'air d'un père en train de baigner son enfant, son pantalon éclaboussé d'eau, l'air sérieux et un peu inexpérimenté.

— Il est plein de mystères, poursuivit Jeanne.

Cette idée agaça vaguement Paul. Il se demanda jusqu'à quand il allait la laisser continuer, et comment il allait s'y prendre pour lui rabattre le caquet.

— Il est comme tout le monde. (Sa voix prenait un ton rêveur.) Mais en même temps, il est différent.

— Comme tout le monde, mais différent? répéta Paul se prêtant au jeu.

— Tu sais, par moments il me fait même peur.

— Qui est-ce? Un maquereau du coin?

Jeanne ne put s'empêcher de rire.

— Il pourrait. Il en a l'air.

Elle sortit de la baignoire et s'enveloppa dans la vaste serviette de bain. Paul regarda ses mains pleines de savon.

— Parce qu'il sait... (Elle s'arrêta, hésitant à endosser cette responsabilité.)... parce qu'il sait comment me faire tomber amoureuse de lui.

Paul sentit son agacement tourner à la colère.

— Et tu veux que cet homme que tu aimes te protège et s'occupe de toi?

— Oui.

— Tu veux que ce vaillant guerrier dans sa cuirasse d'or étincelante te bâtisse une forteresse où tu puisses te cacher...

Il se redressa, élevant la voix en même temps. Il la toisa d'un air méprisant.

— ...de façon que tu n'aies plus jamais à avoir peur, plus jamais à te sentir seule. Tu ne veux plus jamais avoir une sensation de vide. C'est ça, ce que tu veux, n'est-ce pas?

— Oui, fit-elle.

— Alors, tu ne le trouveras jamais.

— Mais j'ai déjà trouvé cet homme-là!

Paul avait envie de la frapper pour lui faire comprendre la stupidité de son affirmation. Il éprouva une flambée de jalousie. Elle avait violé le pacte, pour la première fois elle avait donné une réalité au monde extérieur. Il lui fallait trouver une nouvelle façon de la violer, elle.

— Eh bien, dit-il, il ne faudra pas longtemps avant que lui veuille que tu lui bâtisses une forteresse avec tes seins, avec ton cul, et avec ton sourire...

L'amour était une excuse pour aller chercher chez un autre la pâture dont on avait besoin, songea Paul. La seule façon d'aimer, c'était de se servir d'une autre personne sans invoquer de prétexte.

— Avec ton sourire, continua-t-il, il construira un endroit où il se sentira assez à l'aise, assez en sûreté pour pouvoir célébrer son culte devant l'autel de sa propre bite...

Jeanne était plantée là, à l'observer avec fascination, enroulée dans son drap de bain. Ses paroles l'effrayaient et l'emplissaient en même temps d'un désir nouveau.

— J'ai trouvé cet homme-là, répéta-t-elle.

— Non! s'écria-t-il, niant cette possibilité. Tu es seule, tu es toute seule. Et tu ne pourras jamais te libérer de ce sentiment de solitude, jusqu'au moment où tu regarderas la mort en face.

Paul jeta un coup d'œil à la paire de ciseaux posée au bord du lavabo et sa main, machinalement, s'en approcha. Ce serait si facile : elle, puis lui, plus rien que du sang. Il connaissait cela, se dit-il. Il pensa au corps de Rosa, revenant de la morgue, trimballé dans l'escalier par deux vampires. Il sentit la nausée monter en lui.

— Je sais que ça a l'air de foutaises, dit-il, de conneries romantiques. Mais c'est seulement si tu vas dans le cul de la mort, jusqu'au fond de son cul et si tu sens la matrice de la peur, qu'alors peut-être, et seulement à ce moment-là, pourras-tu le trouver.

— Mais je l'ai déjà trouvé, dit Jeanne et sa voix chancelait. C'est toi, c'est toi, cet homme-là!

Paul frémit et s'appuya au mur. Elle l'avait eu, elle avait pris un trop grand risque. Pendant tout ce temps c'était de lui qu'elle parlait. Il allait lui faire payer ça, il allait lui montrer ce que c'était que le désespoir.

— Passe-moi les ciseaux, dit-il.

— Quoi? fit Jeanne effrayée.

— Passe-moi les ciseaux à ongles.

Elle les prit sur le lavabo et les lui passa. Paul la saisit par le poignet et lui souleva la main jusque devant les yeux.

— Je veux que tu te coupes les ongles de la main droite, lui dit-il.

Elle le regardait, abasourdie.

— Ces deux-là, fit-il en les lui désignant.

Jeanne prit les ciseaux et se coupa avec soin les ongles du médius et de l'index. Elle reposa les ciseaux au bord du lavabo plutôt que de les rendre à Paul. Il se mit à déboutonner sa braguette sans la quitter un instant des yeux. Son pantalon et son caleçon tombèrent autour de ses chevilles, révélant son sexe et ses cuisses musclées et velues. Paul brusquement lui tourna le dos et s'appuya des deux mains au mur au-dessus du siège des cabinets.

— Maintenant, je veux que tu me mettes les doigts dans le cul.

— Quoi?

Jeanne n'en croyait pas ses oreilles.

— Mets-moi les doigts dans le cul! Tu es sourde?

D'une main incertaine, elle se mit à l'explorer. Elle s'émerveillait du don qu'il avait de la choquer, de la pousser au-delà de tout ce qu'elle avait imaginé. Elle savait maintenant que leur aventure pouvait s'achever dans l'horreur, par un acte insensé de violence, mais elle n'avait plus peur. Quelque chose au fond du désespoir qu'il venait de révéler l'émouvait et l'excitait, l'entraînant avec lui. Elle était prête à accepter, même si cela signifiait le pousser plus loin vers sa propre désintégration.

Elle s'arrêta, craignant de lui faire mal.

— Vas-y, ordonna-t-il.

Elle enfonça ses doigts plus profondément.

Paul sentit la douleur qui le mordait. Elle avait passé la première épreuve. Il voulut la pousser plus loin.

— Je m'en vais acheter un cochon, lui dit-il, haletant et je m'en vais le dresser à te baiser. Et je veux que ce cochon te vomisse dessus, et je veux que tu avales ses vomissures. Est-ce que tu feras ça pour moi?

— Oui, dit Jeanne, qui sentait le rythme de la respiration de Paul qui s'accélérait.

Elle ferma les yeux et sonda plus profond. Elle se mit à pleurer.

— Comment?

— Oui! répondit-elle, l'accompagnant maintenant, appuyant la tête contre son large dos.

144

Il n'y avait pas d'issue. La pièce les enfermait comme une cellule, les tournait vers l'intérieur, vers leur propre passion et leur avilissement. Elle partageait avec gratitude le domaine lointain de la solitude où il s'enfermait. Elle accepterait n'importe quoi, elle ferait n'importe quoi.

— Et je veux que ce cochon crève, poursuivit Paul, le souffle plus rauque, les yeux fermés, le visage levé dans une attitude qui aurait pu être celle d'une bénédiction.

Ils peinaient aussi proches l'un de l'autre qu'ils ne l'avaient jamais été.

— Je veux que ce porc crève pendant que tu baises, alors il faudra que tu passes par-derrière et je veux que tu sentes les pets d'agonie du cochon. Est-ce que tu feras tout ça pour moi?

— Oui, cria-t-elle, un bras passé autour de son cou, le visage enfoui contre ses épaules. Oui, et plus que ça, et pire qu'avant, bien pire....

Paul jouit enfin. Elle s'était ouverte complètement, elle avait fait la preuve de son amour, il n'y avait plus nulle part où aller.

19

Il était tard et le silence qui s'était installé dans le couloir de l'hôtel n'était troublé que par le bruit des pas lents et réguliers. Paul s'engagea dans un étroit corridor. Il avait l'impression d'être le gardien d'un labyrinthe, de tourner des coins, d'émerger de l'ombre et d'y replonger, sans volonté ni but. Il s'arrêta dans un recoin sombre et tendit l'oreille. On n'entendait que le bruit de son souffle. Il souleva un coin du papier peint, découvrant un judas qui permettait de regarder dans cette chambre. Il y colla l'œil et il vit la prostituée endormie, seule au milieu de la masse des couvertures une jambe blanche découverte, des traînées sombres de rimmel barbouillant ses paupières closes.

Paul continua sa ronde. Il ouvrit le placard à linge au fond du couloir, d'où l'on pouvait regarder en secret le couple algérien d'un côté et le déserteur américain de l'autre. Les corps étaient perdus dans le sommeil, ils avaient l'air de se défaire dans l'inconscience. Il passa à d'autres judas dissimulés sous les dessins innocents du papier peint, dans des coins et des lézardes. L'hôtel le faisait penser à une toile d'araignée où rien n'était secret, où rien n'était inviolé. Il inspecta tous ses clients plongés dans le sommeil, mais ce n'étaient pas des gens qu'il voyait, mais seulement des bouches molles figées dans des grimaces involontaires, des corps desséchés qui semblaient la négation même de la chair. Il n'entendait que des souffles un peu rauques et parfois une invocation confuse lancée dans le sommeil. Paul avait l'impression de venir identifier des corps à la morgue.

Il prit une clef et ouvrit la porte de la chambre de Rosa. L'odeur des fleurs le frappa aussitôt, l'accablant. La lampe sur la table de chevet était allumée. Son corps reposait sur un lit de fleurs au parfum doux et écœurant. Elle portait ce qui ressemblait à une robe de mariée, avec de fines dentelles blanches et un voile. On avait soigneusement coiffé ses cheveux noirs, on avait abondamment maquillé ses joues et ses lèvres. De faux cils lui donnaient dans la mort l'air de quelqu'un d'endormi dans un sommeil calme et tranquille. Ses doigts minces étaient pliés sur son ventre, et la peau de ses mains, de son visage, semblait briller d'un étrange éclat. Seule son expression était normale : un sourire ironique, à peine perceptible.

Paul s'assit lourdement sur le fauteuil auprès du lit et prit la dernière cigarette d'un paquet de Gauloises. Il froissa le paquet et le jeta par terre, puis alluma sa cigarette sans satisfaction.

— Je viens de faire ma ronde, dit-il sans regarder Rosa. (La porte était fermée et il éprouvait un certain plaisir à s'adresser à sa femme morte. C'était une façon de mettre de l'ordre dans son esprit.) Ça faisait longtemps que je ne l'avais pas fait. Tout va bien. Tout est calme. Dans cette baraque, les murs sont comme du gruyère.

Il regarda autour de lui, les murs et le plafond de la triste petite chambre, s'efforçant de maîtriser sa colère et son chagrin. Finalement, il se tourna vers elle.

— Tu as l'air ridicule avec ce maquillage. On dirait la caricature d'une putain : une fausse Ophélie qui se serait noyée dans sa baignoire.

Il secoua la tête. Le petit rire qu'il essaya ressemblait plutôt à un hoquet. Rosa était si immobile, si figée dans le définitif.

— Je voudrais que tu puisses te voir, tu rigolerais.

C'était vrai, Rosa avait toujours eu le sens de l'humour. Un humour déformé peut-être et cruel, mais elle savait rire. Cela paraissait à Paul une irrévérence que de l'habiller comme ça, ça faisait faux. La vérité, c'était que Paul n'aurait pu affirmer qu'il aurait reconnu cette femme dans la rue comme étant la sienne.

— Elle a fait un chef-d'œuvre, ta mère, dit-il amèrement, chassant de la main la fumée de sa cigarette. Bon Dieu, il y a trop de ces saloperies de fleurs ici, je ne peux plus respirer.

Il y avait des fleurs minuscules jusque dans les cheveux de Rosa. Paul écrasa sa cigarette sur le tapis, sous son talon. Il y avait certaines choses qu'il avait besoin de dire, sinon il savait qu'il allait devenir fou.

— Tu sais, en haut du placard, dans cette valise en carton, j'ai trouvé tous tes petits trésors. Des stylos, des porte-clefs, des devises étrangères, des serpentins... tout un tas de trucs. Même un col de pasteur. Je ne savais pas que tu aimais collectionner toutes ces petites saletés abandonnées par les clients.

Il y avait beaucoup de choses qu'il ne savait pas et qu'il ne saurait jamais. Ça lui semblait si injuste, si désespéré.

— Même si le mari vit deux cents ans, fit-il avec des accents de souffrance, il n'arrivera jamais à découvrir la vraie nature de sa femme, je veux dire, je pourrais peut-être comprendre l'univers, mais je ne saurai jamais la vérité sur toi — jamais. Ce que je veux dire, au fond, c'est : qui es-tu?

Un instant il s'attendit vraiment à entendre Rosa lui répondre. Il attendit, guettant le vaste silence de l'hôtel. C'était le milieu de la nuit dans le monde entier, Paul avait l'impression d'être la seule créature éveillée dans tout l'univers.

— Tu te souviens de ce jour-là, demanda-t-il, en essayant de sourire, du premier jour où j'étais ici? Je savais que j'arriverais pas à te sauter à moins de dire...

Il s'arrêta, s'efforçant d'évoquer leur première rencontre, cinq ans auparavant. Rosa semblait si convenable, si distante, et pourtant il savait. Il était fier, parce qu'il pensait avoir fait vraiment une conquête, parce qu'il croyait qu'ils se comprenaient.

— Oh, oui. « Est-ce que je peux avoir ma note, il faut que je parte. » Tu te souviens?

Cette fois son rire était sincère. Oui, cette fois Rosa était tombée dans le piège, elle avait peur de le voir s'échapper, alors qu'il n'avait aucune intention de partir. L'hôtel était plus propre en ce temps-là, et il se souvint qu'il l'avait choisi pour cette raison même... Comme les choses avaient tourné de façon bizarre.

Paul éprouva un soudain besoin de se confesser.

— Hier soir, j'ai poussé une gueulante devant ta mère, et ça a fait un tintouin dans toute la baraque... Tous tes... tes pensionnaires, comme tu disais. Je pense que je suis compris dans le tas, n'est-ce pas? (La colère le reprit.) Je suis dans le lot n'est-ce pas? Pendant cinq ans j'ai été plus un pensionnaire dans ce foutu bordel qu'un mari. Avec des privilèges, bien sûr. Et puis, pour m'aider à te comprendre, tu me laisses Marcel en héritage. La réplique du mari, dont la chambre était la réplique de la nôtre.

Il se sentait jaloux, sincèrement jaloux, non pas de

ce que Marcel et elle faisaient ensemble, mais parce qu'il ne savait pas ce qu'ils faisaient. Il y avait certains égards auxquels il avait droit en tant que mari, même s'il n'était que titulaire. Elle aurait dû lui dire avant de se suicider. Question de simple courtoisie. Mais, bien sûr, en même temps il avait peur de savoir.

— Et tu sais? reprit-il, je n'ai même pas eu le cran de lui demander s'il faisait avec toi les mêmes numéros que nous faisions ensemble. Notre mariage n'était rien de plus pour toi qu'un trou où te terrer. Tout ce qu'il a fallu pour t'en faire sortir, ça a été un rasoir à deux cents balles et une baignoire pleine d'eau.

Paul se leva en trébuchant. Il sentait la tristesse, la rage et l'exaspération déferler sur lui. Elle n'avait pas le droit de le plaquer comme ça. Son départ était pire qu'une mauvaise plaisanterie, et faite à ses dépens.

— Espèce de saleté de bon Dieu de putain de quatre sous! (Il crachait littéralement les mots, dérangeant les fleurs en s'approchant plus près du lit.) J'espère que tu vas pourrir en enfer! Tu es pire que la pire salope qu'on puisse jamais rencontrer n'importe où, et tu sais pourquoi? Parce que tu as menti. Tu m'as menti, et moi, je te faisais confiance. Tu m'as menti! Tu savais que tu mentais.

Il avait les mains enfoncées dans la poche de sa veste, et il sentit sous ses doigts quelque chose qu'il ne reconnaissait pas. Lentement, il sortit de sa poche une petite photographie. Il la tint sous la lumière. C'était la photo de Jeanne, ses seins épanouis dénudés devant l'objectif. Paul contempla la photographie comme s'il ne la reconnaissait pas. Elle avait dû la glisser dans sa poche tout à l'heure, songea-t-il. Elles étaient toutes les mêmes, se dit-il, déchirant la photo en petits morceaux et les répandant parmi les fleurs. Lui, il devait vivre, et c'était encore une chose que Rosa n'avait pas comprise, ou dont elle se fichait.

— Vas-y, dis-moi que tu ne mentais pas. (Il approcha son visage de celui de Rosa, perçut une légère odeur médicinale mêlée à celle des fleurs.) Tu n'as rien à répondre à ça, tu ne trouves rien à dire, n'est-ce pas? Allons, explique-moi. Vas-y, souris, connasse.

Il surveillait ses lèvres. Elles avaient l'air d'être en cire.

— Vas-y, fit-il en l'encourageant, dis-moi quelque chose de gentil, souris-moi et dis-moi que j'ai simplement mal compris.

Des larmes s'amassaient dans les yeux de Paul et se mirent à ruisseler sur ses joues. Il passa le dos de sa main sur son visage, puis se pencha plus près du corps. Il ne renonçait pas si facilement.

— Vas-y, dis-moi, salope! Menteuse, ordure, salope!

Il se mit à sangloter, à longs sanglots qui lui secouaient tout le corps. Il se cramponna à la chaise et tendit la main pour lui toucher le visage. Il sentit sa chair froide et dure. Il se mit à ôter les fleurs qu'elle avait dans les cheveux et à les répandre sur le sol à ses pieds.

— Pardonne-moi, dit-il en reniflant, mais je ne peux absolument pas le supporter... de voir ces saloperies de feuilles sur ton visage, toi qui ne te maquillais jamais, qu'est-ce que c'est que toute cette merde...

Aussi délicatement que possible, il ôta les faux cils, les jeta. Mais son visage avait encore un air bizarre. Elle ne se ressemblait pas. Paul s'approcha du lavabo et humecta son mouchoir. Puis il se mit à essuyer la poudre et le rouge du visage de Rosa.

— Je m'en vais t'ôter ce rouge à lèvres de la bouche. Je suis désolé. Mais il le faut.

Il recula d'un pas et la regarda de nouveau. Il éprouvait de l'affection et un impérieux besoin d'expliquer son désespoir.

— Je ne sais pas pourquoi tu as fait ça, commença-t-il. J'en ferais autant, si je savais. Mais je ne sais vraiment pas.

Il s'arrêta et songea au suicide. Ça n'était peut-être pas son genre, mais ça n'était pas celui de Rosa non plus. Paul reprit, s'adressant à lui-même :

— Il faut que je trouve une solution.

Paul s'agenouilla auprès du lit et reposa sa tête et un bras sur le corps de Rosa. Il s'apprêtait à parler encore, à se perdre dans le flot de sa sentimentalité. Il n'avait jamais aimé autant Rosa de sa vie qu'il ne l'aimait maintenant dans la mort, jamais il n'avait pu comprendre la valeur des choses et des gens tant qu'ils n'étaient pas partis. De comprendre cela ne diminuait en rien sa douleur. Pour une fois, il se retrouvait là sans même ce sens amer de l'absurde qu'il avait toujours.

Quelqu'un frappait violemment à la porte de la rue. Les coups retentissaient dans l'hôtel comme l'approche du destin, et un moment il eut peur. Puis la sonnette retentit, une sonnerie grêle, insistante.

Il lança d'une voix étouffée : « Quoi? Bon, j'arrive », et se releva d'un pas incertain. Il se retourna pour regarder Rosa, et il n'éprouvait que de la tendresse, car il avait l'impression d'être parvenu à une sorte d'arrangement avec le souvenir qu'il gardait d'elle.

— Il faut que j'y aille, chérie. Bébé, on m'appelle.

Il sourit une dernière fois à ses traits figés dans la mort, puis sortit dans le couloir, refermant la porte derrière lui.

De la rue, une voix de femme étouffée lui parvenait.

— Alors, il y a quelqu'un?

Paul avait l'impression qu'on venait de le tirer d'un profond sommeil.

— J'arrive, fit-il d'une voix pâteuse — et il descendit l'escalier.

152

Deux ombres se profilaient contre le verre dépoli de la porte. Sans allumer dans le hall, Paul se dirigea droit vers la porte. Un homme et une femme étaient pelotonnés sur le seuil de l'hôtel. Il ne pouvait distinguer leurs visages.

— Vite! cria la femme, apercevant Paul à la lueur du lampadaire.

Mais il ne fit pas un geste pour tourner le verrou.

— Réveillez-vous! fit la femme en frappant violemment, puis en se collant le visage contre la vitre. Ouvrez cette porte!

Il ne reconnaissait pas la voix de la femme ni le regard lourdement maquillé qui le dévisageait.

— J'ai besoin de la chambre habituelle, dit-elle, numéro quatre. Une demi-heure, ça suffira, ou peut-être une heure tout au plus.

Paul secoua la tête. Pourquoi, se demanda-t-il, cette femme l'ennuyait-elle? Elle avait l'air de connaître l'hôtel.

— Allons, insista-t-elle, quand vous êtes complet vous mettez une pancarte. Je sais. J'en ai marre de discuter. Appelez la propriétaire. Grouillez-vous! La propriétaire a toujours été chic avec moi.

Paul tourna le verrou et entrebâilla la porte. Il vit la lourde silhouette d'une prostituée d'un certain âge, avec des cercles bleus de maquillage au-dessus des yeux. Derrière elle, il y avait un homme en manteau, qui jetait dans la rue des coups d'œil inquiets, craignant d'être vu.

— Rosa et moi, nous sommes de vieilles amies. Ouvrez. Laissez-moi entrer, si vous ne voulez pas que je lui raconte.

Pendant qu'elle parlait, l'homme avait furtivement reculé puis s'était éloigné sans même que la femme le vît. Paul lui ouvrit la porte et elle s'empressa d'entrer.

— Tout va bien, annonça-t-elle en se retournant.

Entre. (Elle constata que l'homme avait disparu et elle se tourna vers Paul, furieux :) Tu es content? Il m'a plantée là.

— Je suis désolé, dit Paul.

Il avait l'impression de participer à un rêve, l'impression que lui et les autres n'avaient aucune réalité. L'idée que peut-être il avait manqué d'égards envers une des amies de Rosa l'emplissait d'une vague nouvelle de remords et de sentimentalité. La femme semblait vouloir quelque chose de lui, mais il ne comprenait pas exactement quoi, alors même qu'elle le poussait vers la porte.

— Dépêche-toi de le rattraper, dit-elle, approchant son visage de celui de Paul.

Paul ne la distinguait pas bien, mais il sentait l'odeur douce et rance qui émanait d'elle, comme un parfum de fleurs fanées.

— Il n'a pas pu aller loin. Ramène-le ici. Dis-lui que tout est arrangé.

Paul se précipita dans la rue. Le jour commençait à peine à se lever, il se sentait las et désemparé. Peut-être devrait-il faire ce que lui demandait la femme. L'homme avait dû accepter de la suivre, se dit-il. Ce n'était que justice s'il revenait, et c'était à Paul de l'en convaincre.

Il remonta la rue en courant, l'air froid du matin emplissant ses poumons. Quelques instants plus tôt, il pleurait sa femme. Et voilà maintenant qu'il faisait une course pour une putain, racolant en souvenir de sa femme morte. Le remords qu'il éprouvait commençait à se dissiper, et il sentait la colère revenir. Peut-être était-ce une autre des plaisanteries de Rosa, il avait l'impression d'en trouver qui le guettaient partout où il portait ses pas. Il se demandait vaguement pourquoi les prostituées aimaient tant Rosa.

Pas trace de l'homme en manteau sombre. Paul

s'arrêta pour reprendre haleine. Il tendit l'oreille, guettant le bruit des camions dans les rues étroites, humant les relents des ordures dans l'impasse; il avait l'impression de vivre le fond de l'indignité, sans pouvoir faire de reproches à personne, sans même pouvoir se le reprocher. Ç'aurait été au moins une satisfaction, une façon d'apaiser sa rage. Il serra les poings et revint vers l'hôtel, ayant oublié la prostituée. Mais soudain, dans la ruelle, il aperçut l'homme en manteau, qui essayait de se cacher dans l'ombre d'un porche. Sa lâcheté écœura Paul. Pourquoi cet homme avait-il accepté de suivre la femme et refusait-il ensuite, attirant tous ces ennuis à Paul?

— Alors, vous m'avez trouvé, dit l'homme en essayant de rire. (Il était maigre et il avait l'air frêle, avec une voix bien timbrée de comédien.) Je vous en prie, ne dites pas que vous m'avez trouvé. Vous avez vu comme elle est laide?

Il recula, déployant les mains dans un geste de supplication.

— Autrefois ma femme suffisait, expliqua-t-il, mais maintenant elle a attrapé une maladie qui fait qu'elle a la peau comme celle d'un serpent. Mettez-vous à ma place.

Paul le prit par le bras.

— Venez, dit-il.

Sans qu'il sût pourquoi, l'histoire de l'homme ne faisait que l'agacer davantage.

— J'étais ivre, reprit l'autre d'un ton implorant. J'ai pris la première que j'ai pu trouver, et puis, nous avons dû marcher un peu et je me suis dégrisé...

Il essaya de se libérer, et, avec une brusque fureur, sans raison, Paul l'envoya brutalement contre la porte métallique de la boucherie. L'homme tomba sur le trottoir et se mit à ramper à reculons pour échapper à Paul.

— Laissez-moi tranquille! Vous êtes fou! Laissez-moi tranquille!

Il essaya de se relever et Paul lui décocha un coup de pied qui le projeta quelques pas plus loin sur le pavé glissant.

— Fous le camp d'ici, dit Paul, tapette!

L'homme s'enfuit en courant, boitillant, jetant des coups d'œil terrorisés par-dessus son épaule.

Paul regagna lentement l'hôtel, épuisé. Avec quelle rapidité était-il descendu de l'adoration de sa femme à la routine sordide de son existence quotidienne.

La femme attendait dans le hall, assise sur la banquette en fumant une cigarette. Le bout rougeoyant brillait dans l'obscurité.

— Je le savais, dit-elle, tu n'as pas été foutu de le retrouver. Où est-ce que je vais en trouver un autre, à cette heure?

— Combien est-ce que je vous ai fait perdre?

Il commença à fouiller dans ses poches. La femme se mit à rire :

— Donne-moi ce que tu peux, je ne fais pas ça pour l'argent. J'aime ça, tu comprends? Je le fais parce que j'aime les hommes.

Elle posa sa main sur celle de Paul.

— Tu es mignon, tu sais, fit-elle d'une voix rauque. Si tu veux, on peut le faire ici. J'ai une robe très pratique, avec une fermeture à glissière de premier ordre. Ça s'ouvre de haut en bas, je n'ai même pas besoin de l'ôter. Allons, ne sois pas timide.

Elle se pencha dans la lumière, et Paul vit ce qu'il crut être un masque mortuaire. Il recula, abasourdi et effrayé, et s'éloigna.

— Ne me regarde pas comme ça! (Elle se dirigea vers la porte. Avant de sortir, elle lança :) Je ne suis plus jeune, et alors? Ta femme sera bien comme moi un jour.

20

Tout en montant dans l'ascenseur pour ce qu'elle croyait être la dernière fois, Jeanne se demandait si Paul l'attendrait et quelle surprise il lui réservait. Elle avait l'impression que tous les deux n'avaient plus rien à gagner, qu'ils avaient franchi ensemble la dernière frontière. Mais pour elle, l'aventure continuait, bien qu'elle sût pertinemment que les dangers s'étaient quelque peu accrus.

Elle sortit de l'ascenseur et ouvrit la porte avec sa clef. Elle se demanda si Paul avait découvert la photo qu'elle avait laissé tomber dans la poche de sa veste. C'était sa façon de le faire penser à elle, et elle se plaisait à l'imaginer en train de la contempler tout en prenant son café du matin, ou bien alors qu'il était plongé dans les activités mystérieuses de sa vie privée.

Le souvenir du rat crevé lui revint, et elle ouvrit la porte avec précaution. Ce fut le silence qui l'accueillit, et la lumière du soleil se reflétant sur les murs du salon rond. Elle retint son souffle en voyant les pièces vides. Le mobilier avait disparu. Elle passa rapidement de pièce en pièce, trouvant la confirmation de ce qu'elle avait du mal à croire, mais l'appartement avait exactement le même aspect que le premier jour. Même le matelas avait disparu. Les murs semblaient encore plus nus qu'avant, les taches sombres laissées par les tableaux disparus avaient un air plus délaissé. Seule l'odeur de leurs rencontres subsistait, et commençait déjà à faire partie des relents plus vagues de décadence qui flottaient dans tout l'appartement.

Elle sortit en courant laissant la porte ouverte derrière elle, et redescendit par l'ascenseur jusque dans l'entrée pleine d'ombres. La fenêtre de la loge de la concierge était ouverte et Jeanne apercevait le large dos de la Noire penché sur quelque tâche obscure. Jeanne s'approcha d'elle et s'éclaircit bruyamment la voix, mais la femme ne broncha pas. Elle fredonnait un air de Verdi qui ressemblait plutôt à un gémissement prolongé.

— Excusez-moi, dit Jeanne, vous vous souvenez de l'homme du numéro quatre?

Les paroles de Jeanne parurent résonner dans tout l'immeuble, et elle se rappela le premier jour où elle était venue, l'exaspération qu'elle avait éprouvée à s'efforcer d'obtenir une clef. La Noire conservait ses secrets, et elle secoua la tête sans même se retourner.

— Il habite ici depuis plusieurs jours, insista Jeanne.

— Je ne connais personne, je vous le dis, fit la femme. Ils louent, ils sous-louent. Le type du numéro quatre, la femme du numéro un. Qu'est-ce que j'en sais, moi?

Jeanne ne pouvait pas croire que Paul avait déménagé. Elle s'attendait bien à une surprise, mais évidemment pas à celle-là.

— Et les meubles? dit-elle. Où les a-t-il emportés? L'appartement est vide.

La femme eut un rire de dérision, comme si elle avait déjà entendu trop souvent cette histoire.

— Où est-ce que vous faites suivre son courrier? Donnez-moi l'adresse.

— Je n'ai pas son adresse. Je ne connais personne.

Elle restait incrédule.

— Même pas son nom?

— Rien, mademoiselle.

Elle tourna la tête, franchement hostile maintenant. Jeanne poussait trop loin la gardienne de ce monde infernal. Après tout, Jeanne était entrée à ses risques et périls, et elle se précipita vers la porte avec l'enthousiasme d'une idée nouvelle. S'il était parti, alors l'appartement était de nouveau libre. Ce serait une sorte de revanche, songea-t-elle en se dirigeant vers le café, et il la méritait bien. Il aurait pu lui dire qu'il s'en allait, il aurait pu au moins laisser un message. Elle n'arrivait pas à croire qu'elle ne le reverrait jamais, mais elle se rendit compte, très brusquement, que c'était vrai.

Lorsqu'elle arriva dans la cabine, son enthousiasme s'était dissipé. Elle composa le numéro de Tom.

— J'ai trouvé un appartement pour nous, dit-elle. 3, rue Jules-Verne... Viens tout de suite, tu sais où c'est? Je t'attendrai au cinquième.

Elle regagna l'appartement et s'installa à attendre dans le vestibule, jusqu'au moment où elle entendit le brouhaha de Tom et de son équipe qui s'entassaient dans l'ascenseur. Ceux qui ne tenaient pas montaient l'escalier en courant, riant et interpellant les passagers de la cabine. Tout l'immeuble semblait transformé par cette animation, par cette soudaine irruption de vie. Elle les accueillit avec un sourire et une révérence.

— Tu aimes notre appartement? demanda-t-elle à Tom, comme il entrait, suivi de son équipe et de tout leur matériel.

Le cameraman entreprit d'installer aussitôt la caméra dans le salon rond, et Jeanne en éprouva un peu de regret, mais qui fut vite oublié. Tom évoluait parmi les pièces vides comme un empereur.

— Tu es heureuse? lui demanda-t-il en passant.

Le cameraman se mit à filmer, sans s'occuper de ce qui se passait autour de lui.

— C'est fou ce qu'il y a comme lumière, ajouta Tom, sans attendre de réponse.

Jeanne l'entraîna dans la petite chambre.

— Celle-ci est trop petite pour qu'on y mette un grand lit, mais ce sera peut-être bien pour le bébé. Fidel... Ce serait un joli nom pour un gosse. Comme Fidel Castro.

— Mais je veux une fille aussi, dit Tom.

Elle éprouva pour lui une brusque bouffée d'affection. Il était si compréhensif, malgré tout ce qu'elle pouvait faire. Elle repensa à Paul... regrettant un peu la frénésie que ces pièces avaient jadis abritée. Jeanne éprouvait un sentiment de satisfaction qu'elle n'avait encore jamais connu dans cet appartement. Pour la première fois, elle pouvait imaginer une famille habitant là : leurs jeux, leurs querelles et leurs petits manèges. Elle se sentait infiniment triste.

— Rosa, dit Tom, sans prendre garde aux émotions contradictoires dont elle était la proie. Comme Rosa Luxembourg. Elle n'est pas aussi connue, mais dans son temps, c'était quelqu'un. Qu'est-ce qu'il y a?

— Rien.

— Bon. Alors je vais te poser quelques questions pour le film. Parlons d'un sujet qui intéresse tout le monde : le sexe.

Tom comptait la choquer avec cette réplique pendant que la caméra se braquait sur elle, mais de toute évidence elle était ennuyée et déçue. Il se tourna vers son équipe et dit :

— Coupez! Çà n'est plus possible. Plus de tournage.

Ils commencèrent à rassembler leur matériel. Sans

un mot de plus, Tom les fit sortir. La script-girl fit à Jeanne un geste timide de la main tout en suivant les autres sur le palier, et elle referma sans bruit la porte derrière elle.

— Je voulais te filmer tous les jours, fit Tom humblement, le matin quand tu te réveilles, et puis quand tu t'endors, quand tu souris pour la première fois, et puis je n'ai rien filmé.

Jeanne tourna les talons et s'éloigna vers les vastes pièces vides. Tom la suivit, contemplant d'un air songeur les vieux meubles entassés sous les draps, les lézardes et les taches d'humidité sur les murs, les moulures brisées.

— Aujourd'hui, fini le tournage, dit-il. Le film est terminé.

Jeanne fut prise de remords :

— Je n'aime pas les choses qui finissent.

— Il faut commencer quelque chose d'autre tout de suite.

Tom pivota dans le salon rond où ils étaient revenus, levant les mains avec admiration.

— Mais c'est énorme.

— Où es-tu? cria Jeanne de la petite chambre.

Elle revint à regret vers le salon.

— Je suis ici, dit-il. C'est trop grand. On pourrait se perdre.

— Oh! arrête.

Jeanne ne se sentait pas à la hauteur de son enthousiasme.

— Comment as-tu trouvé cet appartement?

— Par hasard, fit-elle avec irritation.

— On va tout changer!

Ses paroles avaient pour elle un certain attrait. Etait-ce possible de changer quoi que ce soit?

— Tout, dit-elle. Nous allons changer le hasard en destin.

Tom se précipita dans la pièce voisine, écartant les bras.

— Viens, Jeanne, cria-t-il. Décolle. Tu es au ciel. Plonge, fais trois virages, descends. Qu'est-ce qui m'arrive? Un trou d'air?

Il s'appuya en riant contre le mur où son vol l'avait amené.

— Qu'est-ce qui se passe? demanda Jeanne, riant malgré elle.

— Assez de ces turbulences. On ne peut pas se comporter comme ça, ajouta-t-il, sérieux maintenant. On ne peut pas plaisanter comme ça, comme des enfants : nous sommes des adultes.

— Des adultes? Mais c'est épouvantable!

— Oui, c'est épouvantable.

— Alors, comment devons-nous nous conduire?

— Je ne sais pas, avoua-t-il. Inventer des gestes, des mots. Par exemple, ce que je sais, c'est que les adultes sont logiques, sérieux, circonspects, poilus...

— Oh oui, fit Jeanne pensant de nouveau à Paul.

— Ils affrontent tous les problèmes.

Tom s'agenouilla par terre, prit la main de Jeanne dans la sienne la tirant vers lui.

— Je crois que je te comprends, dit-il doucement. Tu veux un amant plus qu'un mari. Tu sais, je pourrais te proposer quelque chose de différent. Tu épouses qui tu veux, et je serai celui qui l'emporte avec sa passion, l'amant.

Il lui sourit affectueusement. Jeanne s'allongea sur le parquet et se mit à l'attirer vers elle.

— Allons, fit-elle d'un ton câlin. Tu es chez nous maintenant.

Mais Tom résista. Il trouvait l'entrain de Jeanne un peu agaçant, car il n'aimait pas faire l'amour dans un appartement inconnu. Il n'était pas prêt, se dit-il. D'ailleurs, la pièce avait une odeur désagréable, qu'il ne parvenait pas très bien à identifier. Il se releva et remonta la fermeture de son blouson de cuir.

— Cet appartement n'est pas pour nous, déclara-t-il. Absolument pas.

Il se tourna vers la porte, la laissant là, désemparée. Il se sentait claustrophobe et avait envie de sortir.

— Où vas-tu? demanda-t-elle.

— Chercher un autre appartement.

— Un autre comment? demanda-t-elle, s'émerveillant de son instinct.

— Un appartement où nous puissions vivre.

— Mais nous pouvons vivre ici.

— Je trouve cet endroit triste, il sent. Tu viens avec moi?

Jeanne répugnait à partir. Elle écouta son pas vif qui s'éloignait dans le couloir. Comme il était différent de la progression méthodique de Paul.

— Il faut que je ferme les fenêtres, que je rende les clefs et que je m'assure que tout est en ordre.

— Bon, lança-t-il, à tout à l'heure.

Ils se dirent au revoir en même temps, et elle l'entendit qui descendait rapidement l'escalier. Jeanne s'approcha lentement de la fenêtre et ferma les volets. Elle se retourna pour examiner la pièce. Les ombres l'avaient envahie, ramenant le rouge doré des murs à un brun encore ardent. Les lézardes semblaient plus larges et plus proches de l'effondrement. L'odeur qui flottait dans la pièce était résolument un relent de pourriture. Elle s'engagea dans le couloir. La petite chambre avait perdu son charme, elle semblait minuscule, sans air, impossible pour un enfant ou pour qui que ce fût. Elle ouvrit toute grande la porte de la salle de bains et fut parcourue d'un frisson malgré la lumière qui tombait du châssis vitré au-dessus de la baignoire. Les lavabos étaient sales, et pour la première fois elle remarqua que des éclats dorés tombaient du cadre du miroir, répandant sur le carrelage froid une poussière d'or terni.

Jeanne éprouva une brusque et violente envie de s'en aller. Quelque chose la menaçait ici, elle tourna les talons et repartit en courant dans le couloir jusque dans l'entrée. Elle ouvrit la porte, sortit sur le palier et la ferma sans même un dernier regard derrière elle.

Elle avait l'impression qu'une éternité s'était écoulée depuis la première fois où elle était venue dans cet immeuble humide et froid. La fenêtre de la concierge était encore ouverte lorsqu'elle sortit de l'ascenseur, mais la femme avait disparu. Jeanne fut très étonnée à l'idée qu'elle pouvait effectivement se déplacer tant elle avait l'air obèse et elle laissa la clef sur le comptoir. L'idée ne lui vint même pas de laisser un mot. Comme elle sortait, elle entendit la porte à côté de l'ascenseur s'ouvrir, et elle jeta un rapide coup d'œil pour voir la main émaciée déposer sur la mosaïque une autre bouteille vide.

La rue Jules-Verne n'avait pas changé. Pas un ouvrier n'était monté dans l'échafaudage, les voitures semblaient garées là en permanence, la rue était nette et vide. Elle passa rapidement devant le café et traversa la rue, laissant derrière elle ce décor devenu familier. Un grand sentiment de soulagement l'envahit, mêlé de tristesse. Elle n'avait qu'une envie, c'était de s'en aller.

Le viaduc du métro aérien se dressait devant elle, et, au-dessus, le bleu limpide du ciel d'hiver. Le soleil filtrait entre l'architecture métallique du pont. Les mains enfoncées dans les poches de son manteau de daim, la tête basse, Jeanne se mit à traverser la Seine, sans songer à ce qui l'attendait peut-être.

21

Paul avait enterré sa femme et déménagé le mobilier de la rue Jules-Verne, et il se sentait purifié. Pour
la première fois depuis le suicide de Rosa, cette réalité ne pesait pas trop lourdement sur son esprit. En
fait, il éprouvait une légèreté et même un vague opti-
misme comme il n'en avait pas connu depuis des années. Les angles déments de l'horizon de Paris, les
branches d'un blanc osseux des sycomores qui bordaient la Seine, le rythme du métro qui passait, la
fraîcheur de la brise — tout cela lui semblait autant
de détails agréables et uniques à savourer, des détails
qui pouvaient compter dans sa vie. Et la vue d'une
fille en maxi manteau blanc, la tête baissée et enfouie
dans un col de renard blanc, s'approchant de lui à
pas mesurés, était une affirmation qu'on ne pouvait
nier.

Jeanne ne prêtait aucune attention à ce qui l'entourait, à cela près que le fracas du métro qui passait
au-dessus de sa tête, la rumeur des gens autour d'elle
étaient autant de menues irritations. Elle ne pensait
qu'à la douceur fade de sa propre existence, et qu'à la
futilité des relations humaines. L'homme qui s'arrêta
à sa hauteur, tourna les talons et lui emboîta le pas
n'était qu'un contretemps qu'elle n'avait qu'à ignorer.

Pendant quelques instants, ils marchèrent du même pas, puis il la dépassa un peu et elle fut contrainte de le regarder.

— C'est encore moi, dit Paul d'un ton léger, esquissant un salut de la main.

Elle ralentit, mais sans s'arrêter. L'élégance de Paul la surprit. Il portait un blazer bleu marine de bonne coupe, agrémenté d'une chemise à rayures vert pâle, avec une large cravate de soie. Il avait un air tiré à quatre épingles, et sa démarche reflétait son assurance. Elle ne se fiait plus à lui.

— C'est fini, dit-elle.

— C'est fini, reconnut-il, en haussant les épaules et en sautillant pour se maintenir à sa hauteur. Alors, ça recommence.

— Qu'est-ce qui recommence?

Elle le regarda et trouva qu'il avait l'air plus ouvert, et par conséquent vulnérable. C'était comme si, loin de cet appartement, il s'était dépouillé d'on ne sait quelle cuirasse protectrice, comme un animal en train de muer, émergeant de sa tanière. En plein air toutefois, Jeanne éprouvait de la réserve. L'appartement leur avait servi de défense à tous les deux, mais sous l'éclairage cru du monde extérieur, elle tenait à garder ses secrets.

— Je ne comprends plus rien, dit-elle en hâtant le pas.

Il lui prit le bras et la guida vers l'escalier menant aux quais du métro. Elle était crispée, surprise par l'insistance avec laquelle il la poursuivait : c'était assurément quelque chose de nouveau, se dit-elle. Paul s'arrêta dans l'ombre de l'entrée et lui toucha la joue. Jeanne se détendit. Elle savait que c'était sans espoir mais elle ne pouvait pas le plaquer là comme ça.

— Allons, il n'y a rien à comprendre, dit Paul.

Et sans lui laisser le temps de répondre, il l'embrassa doucement sur les lèvres. Il sentit sa chaleur et la réalité de sa chair. Pour lui maintenant, elle n'était qu'une femme, et une femme séduisante. Pour elle, c'était le premier geste de tendresse de sa part dont elle pût se souvenir.

Ils arpentèrent le quai de la station, bras dessus bras dessous, comme une jeune nièce capricieuse et un oncle bienveillant échangeant des confidences.

— Nous avons quitté l'appartement, expliqua Paul, et maintenant nous nous retrouvons, avec l'amour et tout le reste.

Il lui sourit, mais Jeanne secoua la tête.

— Quel reste? demanda-t-elle.

Il n'eut pas le temps de répondre, car la rame entrait en gare, et ils y montèrent du même élan, Paul l'entraînant et la guidant jusqu'à une banquette vide. Ils s'assirent, blottis l'un contre l'autre, comme des amoureux.

— Ecoute, dit-il, heureux de pouvoir parler de lui et d'être libéré de son chagrin. J'ai quarante-cinq ans et je suis veuf. J'ai un petit hôtel pas très brillant, mais ça n'est pas tout à fait un bouge. Et j'avais l'habitude de vivre un peu au hasard, en me fiant à ma chance, mais là-dessus je me suis marié. Ma femme s'est suicidée.

La rame s'arrêta dans un crissement métallique. Des voyageurs se précipitèrent vers les portes et déferlèrent sur le quai. Paul et Jeanne se regardèrent, et brusquement descendirent à leur suite. Elle se rendit compte qu'elle ne voulait pas l'entendre parler de sa vie, qui semblait triste et un peu sordide. Ils montèrent en silence les marches de la station pour déboucher dans la belle ordonnance de la place de l'Etoile baignée de soleil.

— Qu'est-ce qu'on fait maintenant? demanda Jeanne.

— Tu m'as dit que tu étais amoureuse d'un homme et que tu voulais vivre avec lui. C'est moi que tu aimes. Alors, on va vivre ensemble. On sera heureux. On pourra même se marier, si tu veux.

— Non, fit-elle, lasse d'errer ainsi sans but. Qu'est-ce qu'on fait maintenant?

— Maintenant, on va prendre un petit verre, on va fêter ça, on va être gai.

Paul croyait ce qu'il disait, mais il ne savait pas très bien comment distraire une jeune femme dans l'après-midi. Ça n'avait d'ailleurs pas d'importance. Si elle l'aimait, ils seraient contents partout où ils s'arrêteraient. L'idée de lui faire la cour dans les formes le séduisait. Il avait besoin de s'amuser et de la convaincre qu'il en était capable.

— Oh, bien sûr, je ne suis pas le parti rêvé. J'ai attrapé une saloperie quand j'étais à Cuba en 1958, et maintenant j'ai une prostate grosse comme une patate. Mais je suis encore capable de tirer mon coup convenablement, même si je ne peux plus avoir d'enfants.

Jeanne était en proie à des sentiments mêlés. Elle était encore attirée vers lui par le souvenir de leur aventure, mais repoussée par un dégoût vague et qui allait s'affirmant. Sous le brillant soleil d'hiver, elle se sentait exposée.

— Voyons, dit Paul, cherchant autre chose à lui dire. Je n'ai pas de bistrot habituel, je n'ai pas d'amis. Je pense que si je ne t'avais pas rencontrée, je me serais probablement retrouvé à finir mes jours sur un rond de cuir avec des hémorroïdes.

Elle se demanda pourquoi ses allusions étaient toujours si anales. Il s'arrêta soudain au milieu du trottoir, la retenant par la manche de son manteau, et revint sur ses pas pour jeter un coup d'œil à un dancing devant lequel ils venaient de passer. Les échos d'un or-

168

chestre de danse arrivaient jusqu'à eux, mais de la rue, la salle semblait vide.

— Et pour rendre assommante encore une longue et assommante histoire, poursuivit Paul, en l'entraînant dans le dancing, je suis d'une époque où un type comme moi s'arrêtait volontiers dans une boîte comme ça, pour lever une petite mignonne comme toi. Dans ce temps-là, on disait une souris.

Ils entrèrent bras dessus bras dessous. La salle résonnait d'une musique qui ne provenait pas d'un véritable orchestre de danse, mais d'un phonographe posé sur une table au milieu d'une pile de disques dans leurs pochettes de couleurs vives. La salle ressemblait plutôt à une grange, avec un grand dôme en guise de plafond, et l'éclairage cru fourni par des douzaines de globes qui pendaient au bout de leur chaîne. Des rangées de tables dominaient la piste. Un concours de danse se déroulait. Plusieurs douzaines de couples, dans des tenues qui avaient été à la dernière mode quinze ans auparavant, évoluaient en faisant des pas étranges, que Jeanne n'avait jamais vus. Les hommes avaient de longs favoris à la Valentino, et les cheveux laqués des femmes étincelaient sous les lumières. Ces couples les faisaient songer à des oiseaux au plumage vif en train de se pavaner dans une cage, sous le regard sévère d'hommes et de femmes d'un certain âge assis à une longue table en bois d'un côté de la piste. Devant ces observateurs, s'alignaient des feuilles de papier et des crayons. Chaque concurrent avait un numéro tracé sur un grand carré de carton épinglé dans le dos et, tandis qu'ils tournoyaient, les juges se démanchaient le cou pour suivre leurs évolutions. Quelques serveurs étaient là en spectateurs, mais dans l'ensemble la salle était vide. On avait mis des nappes blanches sur les tables bordant la piste, mais sur celles des autres rangées, des centaines de chaises étaient posées, les pieds en l'air. Une balustrade en bois séparait les danseurs des immensités désertiques de la salle de bal, devenue ce jour-là temple du tango.

Paul fit traverser la piste à Jeanne et ils allèrent s'installer au second rang où un garçon leur prépara une table avec un empressement un peu bourru. Paul commanda fastueusement du champagne et vint s'asseoir en face de Jeanne. Il savait qu'elle percevrait l'humour de cette situation. Eux deux, c'était tout ce qui comptait, et l'absurdité du décor qui les entourait pourrait se révéler amusante. Mais Jeanne ne pouvait détacher son regard des concurrents. Ils avaient l'air si grotesque à tournoyer dans cette grande salle sinistre, activés par cette musique grinçante et par l'envie d'être élus par un jury de vieillards.

Le garçon apporta le champagne, emplit leurs coupes à ras bord et les laissa seuls. Jeanne appuya sa tête sur ses coudes. Paul vint s'asseoir auprès d'elle.

— Je suis absolument navré de vous déranger, dit-il, prenant un accent britannique pour l'amuser, mais j'ai été si frappé par votre beauté, que j'ai voulu vous offrir une coupe de champagne.

Elle se contenta de tourner vers lui un regard vide.

— Cette chaise est occupée? demanda Paul, poursuivant la plaisanterie, bien qu'il sût qu'elle s'en fichait pas mal.

— Comment? dit-elle. Non, elle n'est pas prise.

— Je peux?

— Si vous voulez.

Paul s'assit après s'être incliné cérémonieusement et porta une coupe de champagne jusqu'aux lèvres de Jeanne, mais celle-ci détourna la tête. La parodie semblait trop proche de la vérité, et tous deux semblaient mal à l'aise. Paul but une longue gorgée et emplit de nouveau sa coupe. Les choses n'allaient pas tout à fait comme il l'avait prévu.

— Tu sais danser le tango? demanda-t-il, et Jeanne secoua la tête. C'est un rite, tu sais ce que ça veut dire, un rite? Tiens, il faut que tu suives les jambes des danseurs.

Il héla le serveur et commanda une bouteille de scotch et des verres. Le garçon le regarda un moment, puis s'en alla chercher le whisky. Paul avait envie de s'amuser, de dépenser de l'argent, de faire la fête, et peu lui importait ce que les autres en pensaient, sauf Jeanne.

— Tu n'as pas bu ton champagne, et maintenant il est tiède. Je t'ai commandé un scotch.

Le garçon apporta la bouteille, puis il repartit vers le fond de la salle. Leur table était isolée, Paul servit à chacun une généreuse rasade.

— Tu ne bois pas ton scotch, dit-il d'un ton de doux reproche. Allons, une gorgée pour papa.

Il approcha le verre des lèvres de Jeanne. Elle le regarda avec tristesse et Paul sentit monter en lui un désespoir grandissant. Mais elle but quand même, sachant que cela lui ferait plaisir, bien que le whisky lui brûlât la gorge.

— Maintenant, si tu m'aimes, tu vas boire tout ça.

Elle but une nouvelle gorgée.

— D'accord, je t'aime.

Ça n'était qu'une phrase.

— Bravo! dit Paul.

— Parle-moi de ta femme.

C'était le seul sujet dont Paul n'avait pas envie de parler. C'était du passé maintenant : il allait s'amuser, il allait commencer une vie nouvelle.

— Parlons de nous, dit-il.

Jeanne jeta un coup d'œil autour d'elle, vers les

danseurs et les juges, vers le petit groupe de serveurs dans l'ombre de la salle.

— Cet endroit est si minable.

— Oui, je suis là, n'est-ce pas?

Jeanne fit d'un ton sarcastique :

— Monsieur le maître d'hôtel.

— Ça n'est pas très gentil.

Paul décida qu'elle voulait tout simplement le taquiner. Après les rencontres brûlantes de passion qu'ils avaient connues, cela semblait impossible qu'elle pût se moquer de lui. Mais pour elle, plus Paul en racontait sur son compte, moins il devenait séduisant.

— En tout cas, petite idiote, reprit-il, je t'aime et je veux vivre avec toi.

— Dans ta taule.

Elle avait dit cela presque en ricanant.

— Dans ma taule? Comment cela? (Paul commençait à s'énerver, et le whisky n'arrangeait rien. Jeanne ne paraissait pas s'en apercevoir.) Qu'est-ce que ça peut foutre que j'aie une taule, un hôtel ou un château? Je t'aime! Alors qu'est-ce que ça change?

Jeanne alla s'asseoir sur la chaise à côté, craignant qu'il ne la frappe. Elle prit son verre et but son whiksy sec d'un trait. Cette salle, les danseurs, Paul, elle-même, tout ça la déprimait. Ça n'était pas la peine de continuer, mais elle ne voulait pas l'avouer, pas plus à Paul qu'à elle-même.

Apaisé de l'avoir vue boire, Paul vida son verre à son tour. Puis il les remplit tous les deux. L'alcool lui donnait de l'ardeur, et en même temps il sentait le désespoir silencieux qui montait. Jeanne contemplait la piste de danse. La musique et les couples, avec leurs grands numéros dans le dos, tournoyaient de plus en plus vite, à mesure que son esprit s'embrumait. Elle regrettait d'avoir bu si vite, mais maintenant le scotch lui avait donné soif. Elle observait les jambes des danseurs. Ils avançaient à longs pas glissants en secouant la tête comme des mécaniques.

Brusquement la musique s'arrêta. Les danseurs pivotèrent et regagnèrent leurs places, pour s'asseoir au bord de leurs chaises arborant un sourire crispé, la tête tournée vers les juges.

Une femme d'un certain âge, vêtue d'une robe à fleurs dans des rouges et des violets qui juraient atrocement, le nez chaussé de lunettes à monture métallique, se leva derrière la longue table et annonça d'une voix forte :

— Le jury a choisi les dix meilleurs couples suivants.

Elle ajusta ses lunettes et prit un papier devant elle. Un grand silence tomba dans la salle pendant qu'elle se mettait à lire les numéros. L'un après l'autre, les élus revenaient sur la piste, se pavanant et tournoyant pour se mettre en place l'un en face de l'autre, attendant la musique. La piste peu à peu s'emplit de couples prêts au départ. Ils étaient là, crispés, à se regarder sans se voir. Jeanne trouvait qu'ils avaient l'air de mannequins.

La femme en robe à fleurs leva les mains dans un grand geste et cria :

— Et maintenant, mesdames et messieurs, bonne chance pour le dernier tango!

Ses paroles retentirent dans la vaste salle, le jugement fatal était proche.

La musique aussitôt éclata, mélodieuse et infiniment déprimante pour Jeanne, qui apercevait la lumière du jour filtrant par la porte qui donnait sur la rue. D'être ivre l'après-midi et de regarder ces automates lui donnait envie de pleurer. Paul était assis en face d'elle, il regardait les danseurs par-dessus son épaule, morose et imprévisible. Une fois de plus,

Jeanne essaya d'observer les jambes des danseurs. Ils évoluaient parfaitement à l'unisson, chaque couple plongeant et glissant, puis revenant en arrière avec des gestes stylisés, des sourires figés, le regard et le visage impassibles. Elle commençait à se demander si c'était vraiment des gens. On ne pouvait les imaginer se livrant à des activités humaines ordinaires.

— Donne-moi encore du whisky, dit-elle à Paul.

— Oh, je croyais que tu ne buvais pas.

— J'ai soif maintenant, je veux boire encore.

Paul se leva et fit d'un pas incertain le tour de la table.

— Très bien. Je crois que c'est une bonne idée.

Il versa soigneusement du scotch dans leurs verres. Jeanne se sentait la tête qui tournait, et elle prit le verre avec précaution.

— Attends une minute, dit Paul sans lui laisser le temps de boire. (Il parlait d'une voix pâteuse, s'apprêtant à porter un toast.) Parce que... Parce que tu es vraiment belle...

Jeanne crut que c'était le toast, et elle but.

— Attends! cria-t-il en reposant violemment son verre sur la table.

Du scotch gicla sur sa main et vint couler sur le plancher.

— Bon.

— Je suis désolé, je suis absolument désolé, dit-il reprenant son accent anglais. Je ne voulais pas renverser du whisky.

Jeanne leva son verre :

— Allons, portons un toast à notre vie à l'hôtel.

— Non, merde pour tout ça.

Paul renversa une chaise d'un coup de pied en venant s'asseoir auprès d'elle. Il s'appuya pesamment contre elle, et elle remarqua les rides autour de ses yeux, ses cheveux clairsemés. Tout ce qu'elle avait dit de lui dans l'appartement la veille était vrai. C'était un vieil homme, et maintenant il sentait même le vieux. Jeanne ne pouvait pas le regarder sans penser à son corps. Elle n'avait encore jamais pensé à son tour de taille, aux plis de sa peau. Le secret dont il entourait son nom et son existence l'avait faussement préservé.

— Allons, dit Paul, portons un toast à notre vie à la campagne.

— Tu aimes la nature? Tu ne m'avais jamais dit ça.

— Oh, bon Dieu!

Paul savait que ce qu'ils feraient à la campagne, ce serait l'amour. Pourquoi se moquait-elle de lui? Il ajouta, se prêtant à son jeu :

— Hé, oui! je suis un enfant de la nature. Tu ne me vois pas au milieu des vaches? Tout couvert de bouse?

— Oh, bien sûr que si.

— Pourquoi pas? demanda-t-il, vexé.

— Très bien, nous aurons une maison et des vaches et je serai ta vache aussi.

— Ecoute, dit-il avec un rire rauque. J'irai te traire deux fois par jour. Qu'est-ce que tu en dis?

— J'ai horreur de la campagne, avoua-t-elle, pensant à la villa de banlieue.

Tout devenait obscène, tout était souillé par l'alcool et par ces corps vidés de toute énergie qui tournoyaient inlassablement.

— Comment ça, tu détestes la campagne? demanda-t-il.

— Je la déteste.

Jeanne se leva et prit appui sur le dossier de sa chaise. Elle sentait qu'elle avait besoin de sortir.

— Je préfère aller à l'hôtel, dit-elle.

Et cette idée ne lui parut pas trop ridicule. Peut-

175

être y avait-il encore une chance, songea-t-elle, peut-être que Paul, que les gestes de Paul, que les paroles de Paul lui sembleraient différents quand il se retrouverait seul avec elle dans une chambre. Peut-être qu'elle pourrait oublier tout cela et ce qu'il lui avait dit.

— Viens, allons à l'hôtel.

Mais Paul lui prit la main et l'entraîna vers la piste de danse. Ils descendirent lourdement la marche, leurs pas retentissant bruyamment sur le plancher, mais le bruit de la musique noyait tout cela.

— Dansons, dit Paul.

Jeanne secoua la tête, mais Paul insista, l'entraînant vers le centre de la piste. Les danseurs firent semblant de ne pas les remarquer.

— Viens, fit-il d'un ton enjôleur, dansons.

Ils se mêlèrent en trébuchant aux concurrents. Jeanne sentait ses jambes se dérober sous elle. La musique et l'atmosphère renfermée de la salle de bal semblaient se combiner aux effets du whisky, puis elle sentit les relents d'une douzaine de parfums différents. Les projecteurs l'aveuglaient, les autres couples les frôlaient, avec une grâce stylisée qui rendait ridicules les sautillements de Paul. Il l'étreignit avec fougue, leva une jambe puis la replia derrière lui, singeant les autres. Il avançait et reculait à grands pas, le menton levé dans une pose théâtrale, levant les genoux bien haut, et faisant claquer ses pieds sur le plancher. Il voulut faire tournoyer Jeanne devant lui, mais elle glissa et s'écroula lourdement sur la piste.

— Tu ne veux pas danser? demanda Paul.

Il se mit à danser tout seul, pirouettant et plongeant au milieu des couples qui ne manquaient jamais un pas. C'était absurde, et Paul s'en amusait. Il se sentait bien, grisé par le whisky et par le spectacle. Sa vie nouvelle commençait tout juste, et il allait la vivre pleinement, comme il en avait envie. Il tenta de faire un bond et retomba à genoux.

La femme en robe à fleurs se leva, muette d'indignation. Les autres juges se rassemblèrent autour d'elle, en chuchotant avec indignation, mais aucun d'eux ne semblait disposé à s'approcher de ce couple ivre et irrévérencieux.

— La piste est déjà pleine! cria la femme en robe à fleurs, agitant les bras et s'avançant vers Paul. Vous exagérez.

Comme tout le reste, elle le prenait au sérieux.

Paul trouva cela très drôle. Il se mit à rire et à danser autour d'elle comme un matador.

— Sortez, monsieur! Que faites-vous?

— Madame! dit-il, saisissant la femme par la taille et adoptant la pose du danseur de tango.

Paul se mit à la déplacer pesamment sur la piste, et elle se débattit pour se libérer. Les juges observaient la scène, scandalisés, cependant que les concurrents poursuivaient leur exhibition.

— Ça n'est pas possible, dit la femme.

— C'est l'amour, dit Paul. Toujours. L'amour toujours.

— Mais c'est un concours.

Elle finit par se libérer. Ses collègues derrière la table des juges s'avancèrent avec prudence.

— Qu'est-ce que vient faire l'amour là-dedans? cria la femme. Allez au cinéma, si vous voulez voir l'amour. Et maintenant ça suffit, allez-vous-en!

Jeanne prit Paul par le bras et l'entraîna vers la sortie. Mais il s'arrêta au bord de la piste. Sous le regard horrifié des juges, il baissa son pantalon, se pencha en avant et tendit le derrière dans leur direction. Les spectateurs poussèrent une exclamation de stupeur.

Jeanne et lui quittèrent la piste en trébuchant. Ils

s'arrêtèrent dans un coin d'ombre, au milieu des tables
retournées et s'assirent lourdement contre le mur.
La musique continuait, imperturbable et indifférente.

— Beauté de mon cœur, assieds-toi devant moi, dit
Paul en essayant de toucher la joue de Jeanne.

Mais elle détourna la tête. Elle poussa un gémissement de réelle angoisse.

— Garçon! (Paul claqua des doigts, mais aucun serveur ne vint. Ils étaient seuls.) Champagne! cria-t-il en
agitant les mains au rythme de la musique. Si la musique est la nourriture de l'amour, alors jouez!

Il se tourna vers Jeanne et vit que des larmes ruis-
selaient sur ses joues.

— Qu'est-ce que tu as? demanda-t-il.

— C'est fini.

— Qu'est-ce que tu as? répéta-t-il, refusant de comprendre ce qu'elle disait.

— C'est fini.

— Qu'est-ce qui est fini?

— Nous n'allons plus jamais nous revoir, jamais.

— C'est ridicule.

Paul fit un geste pour chasser ses paroles. Puis il
lui prit la main et la poussa à l'intérieur de son pantalon. Il répéta doucement :

— C'est ridicule.

— Ça n'est pas une plaisanterie.

Jeanne lui prit le sexe au creux de sa main et se
mit à le caresser. Elle regardait droit devant elle, les
larmes ruisselant toujours sur ses joues.

Paul s'adossa au mur.

— Oh, petite salope, soupira-t-il.

— C'est fini.

— Ecoute, quand quelque chose est fini, ça recommence.

— Je vais me marier, dit Jeanne d'un ton mécani-
que. Je m'en vais. C'est fini.

Sa main s'agitait plus vite.

— Oh, seigneur!

Paul eut un orgasme et Jeanne retira sa main, dégoûtée. Elle avait l'impression qu'elle venait de le traire et de le vider de ce qui lui restait de force. Elle s'essuya la main sur le mouchoir de Paul.

— Voyons, dit-il, en essayant de plaisanter devant son mouvement visible de répulsion, ça n'est pas une barre de métro, c'était ma queue.

La musique s'arrêta et la salle se remplit de l'écho de pas traînants, tandis que les juges proclamaient les vainqueurs du concours. Jeanne ne comprenait pas les mots, mais ça n'avait pas d'importance. Elle voyait la scène — et Paul et elle en faisaient partie. Il était devenu laid, sans raison d'être, son sexe inutile. Elle le regarda et se trouva en face d'une épave ivre. Elle le méprisait, et elle se méprisait elle aussi.

— C'est fini, dit-elle — et elle se leva en se dirigeant vers la porte.

— Une minute, cria Paul. Attends, petite conne!

Il se remit péniblement debout et referma son pantalon. Lorsqu'il arriva à la porte, Jeanne s'éloignait déjà d'un pas vif.

— Merde! fit Paul, aveuglé par la brusque lumière et chancelant sur ses pieds. Attends une minute, bon Dieu!

Il se lança à sa poursuite, mais Jeanne hâta l'allure. Le bruit des pas de Paul derrière elle lui faisait peur.

— Hé, mignonne! cria-t-il d'un ton moqueur, mais Jeanne ne se retourna pas. Viens ici!

Elle traversa la rue au carrefour, juste au moment où le feu passait au vert, et Paul fut obligé d'attendre. Sa colère et sa déception grandissaient. Il se rendit compte brusquement que si elle le quittait maintenant, il ne la reverrait jamais.

— Reviens! cria-t-il, se précipitant au milieu des

voitures qui se mirent à klaxonner furieusement. Je m'en vais te rattraper, mignonne!

Ils couraient tous les deux. Ils passaient tour à tour dans l'ombre des platanes qui bordaient le trottoir et les taches de soleil soulignaient la contradiction de la scène : une jolie fille avec son manteau ouvert et les cheveux au vent, poursuivie par un homme assez vieux pour être son père, qui n'avait pas assez de souffle, pas assez de grâce pour ce genre d'épreuve. Ils auraient pu être reliés par un cordon invisible qui se raccourcissait quand elle ralentissait le pas, puis se rallongeait lorsqu'elle s'éloignait. Mais ce lien invisible ne se rompait jamais. Ils demeuraient partenaires dans un curieux rituel, isolés du monde qu'ils traversaient en courant.

C'était l'heure d'affluence dans les magasins, et les Champs-Elysées étaient pleins de monde. Jeanne courait toujours, plongeant parmi des vagues successives de passants et en émergeant, parvenant à garder toujours un peu d'avance sur Paul. Sa peur ne fit que croître lorsqu'elle s'aperçut qu'il ne renonçait pas, et, affolée, elle essaya de penser à un endroit où elle serait en sûreté. Elle ne trouva que l'appartement de sa mère, rue Vavin; elle était certaine que Paul ne tiendrait pas si longtemps.

Il avait déjà perdu du terrain et elle ralentit le pas, l'observant par-dessus son épaule. A une soixantaine de mètres l'un de l'autre, ils passèrent devant le Grand Palais, superbe dans le soleil de l'après-midi, puis ils traversèrent le pont Alexandre III, le bruit de leurs pas se perdant dans la rumeur de la circulation. Paul ne se laissait pas trop distancer, bien qu'il fût hors d'haleine et qu'il eût un point de côté.

Boulevard Raspail, Jeanne se retourna vers lui et cria : « Arrête! Arrête! » Puis elle repartit en courant.

— Attends! supplia Paul, mais en vain.

Il repartit de l'avant. Jeanne approchait de l'immeuble de sa mère et elle ralentit. Elle ne voulait pas que Paul la suive là, et elle ne voyait pas d'autre alternative. Elle entendait ses pas lourds derrière elle. Il finit par la rattraper, pouvant à peine respirer, et il lui saisit le bras.

— C'est fini! fit-elle en se dégageant d'une secousse. Ça suffit.

— Hé, du calme!

Paul s'adossa au mur et essaya de la raisonner, mais elle passa devant lui.

— Arrête! cria-t-elle. Va-t'en maintenant, va-t'en!

Paul trottinait derrière elle, cherchant toujours à reprendre son souffle.

— Je ne peux pas gagner, dit-il. Laisse-moi souffler un peu.

Au prix d'un grand effort, il passa devant elle et lui barra le chemin. Il souriait, désespérant de reprendre la situation en main, les poings sur les hanches.

— Alors, petite conne! lui dit-il d'un ton affectueux.

Jeanne lui dit rapidement en français :

— Cette fois-ci, je vais appeler la police.

Il décida alors de ne pas la laisser partir. Il ferait n'importe quoi pour l'empêcher de s'éloigner. Elle était sa dernière chance d'aimer.

Elle passa devant lui.

— Enfin, merde, je ne t'empêche pas de passer, dit-il d'un ton amer. Je veux dire, après vous, mademoiselle.

Elle s'arrêta au coin de la rue regardant la porte cochère de l'immeuble de sa mère. Elle tremblait et s'efforçait de maîtriser l'affolement qui menaçait de la faire se précipiter sous le porche. Paul comprit qu'elle avait vraiment peur. Il pourrait la rassurer plus tard, songea-t-il, quand il aurait découvert où elle habitait.

— Au revoir, petite sœur, dit-il en passant devant elle, d'ailleurs, tu as l'air trop tarte. Je me fous pas mal de ne jamais te revoir.

Il continua sa marche, faisant semblant d'avoir perdu tout intérêt. Jeanne le suivit des yeux, puis tourna les talons et traversa la rue en courant. Elle s'engouffra dans l'immeuble, mais au moment où elle refermait la porte, Paul arriva en trombe et déboucha dans l'entrée juste à l'instant où Jeanne fermait la porte de l'ascenseur. Elle le regarda, terrifiée, saisir la frêle poignée métallique et s'efforcer d'ouvrir la porte.

L'ascenseur s'élevait lentement.

— Merde! fit Paul.

Bondissant dans l'escalier, il s'efforça de rattraper l'ascenseur.

— Tu es fini! cria Jeanne en français, fini...

Il arriva au palier du premier étage et empoigna la porte de l'ascenseur, mais trop tard. La cabine continuait à monter, avec Jeanne tapie dans le fond.

— Les flics... balbutia-t-elle.

— Oh, la police, je l'emmerde.

L'ascenseur passa au niveau du palier du second étage avant que Paul puisse saisir la porte. Il continua à monter.

— Tu es fini! lui cria-t-elle.

L'ascenseur s'arrêta au troisième étage et Jeanne se précipita et se mit à marteler à coups de poing la porte de l'appartement de sa mère. Paul surgit derrière elle.

— Ecoute, fit-il, haletant, il faut que je te parle.

Jeanne passa devant lui et se mit à frapper à la porte de l'autre appartement, mais personne ne répondit. Paul la suivit et, lorsqu'il lui toucha le bras, elle se mit à hurler.

182

— Ça devient ridicule.

— Au secours! hurla-t-elle, en cherchant sa clef dans son sac. Au secours!

Personne ne vint. Elle enfonça frénétiquement la clef dans la serrure et, quand la porte s'ouvrit, elle faillit tomber à l'intérieur. Paul était juste derrière elle, bloquant le battant de l'épaule. Elle se précipita dans l'appartement devant lui, sans rien voir, poussée par une terreur qui concentrait toutes ses pensées sur un unique objet dans le tiroir de la commode. Il n'y avait aucun moyen de l'arrêter. Elle avait toujours su qu'elle ne pourrait pas lui échapper. Mais malgré tout, elle ne s'attendait pas à une poursuite aussi acharnée.

— Voici le générique, fit Paul, s'arrêtant pour contempler les gravures et les armes indigènes. La séance va commencer.

Jeanne ouvrit le tiroir et prit le pistolet d'ordonnance de son père. Il lui parut lourd, froid et efficace, et elle le dissimula à l'intérieur de son manteau avant de se retourner pour affronter Paul.

— Je suis un peu vieux, dit Paul avec un sourire triste. Je suis plein de souvenirs maintenant.

Jeanne le vit avec une horrible fascination décrocher un des képis de son père et le poser de guingois sur sa tête. Il s'approcha d'elle.

— Comment aimes-tu ton héros? demanda-t-il. Bleu ou à point?

Il conservait tout son charme.

Il lança au loin le képi d'un grand geste. Elle était là, elle était à lui maintenant et il ne pouvait pas la laisser partir. L'idée d'avoir enfin trouvé quelqu'un à aimer lui semblait magnifique.

— Tu as parcouru l'Afrique et l'Asie et l'Indonésie, et maintenant je t'ai trouvée. Et je t'aime.

Il était sincère.

Il s'approcha plus près d'elle, sans remarquer que son manteau s'était entrouvert. Le canon du pistolet se braqua vers lui. Il leva la main pour lui caresser la joue et murmura :

— Je veux savoir ton nom.

— Jeanne, dit-elle en pressant la gâchette.

L'explosion le fit reculer de quelques pas, mais il ne tomba pas. L'odeur de cordite brûlée emplit l'air, et le pistolet trembla dans la main de Jeanne. Paul se pencha un peu en avant, une main crispée sur le ventre, l'autre toujours levée. Son expression n'avait pas changé.

— Nos enfants... commença-t-il... Nos enfants...

Il tourna sur lui-même et se dirigea en trébuchant vers la porte-fenêtre qui donnait sur la terrasse. Au moment où il l'ouvrit, une bouffée d'air lui fit voler les cheveux, et un instant il eut l'air presque jeune. Il sortit sur le carrelage, prit appui contre la balustrade et tourna le visage vers le ciel tout bleu. Paris s'étendait devant lui.

D'un geste lent et gracieux, il ôta le chewing-gum qu'il avait dans la bouche, et le colla délicatement sous la barre supérieure du balcon.

— Nos enfants, dit-il, se souviendront.

Ce fut la dernière chose qu'il eut conscience d'avoir dite. Mais son dernier mot sur terre, il le murmura dans un dialecte tahitien. Il s'effondra lourdement au pied d'un sapin en pot, recroquevillé comme un enfant endormi, et mourut en souriant.

— Je ne sais pas qui il était, murmurait Jeanne, tenant toujours le pistolet à la main, les yeux grand ouverts sur un décor qu'elle ne voyait pas.

» Il m'a suivie. Il a essayé de me violer. Il était fou... Je ne sais pas son nom, je ne le connais pas, je ne sais pas... Il a essayé de me violer, il était fou... Je ne connais même pas son nom.

Ce détail-là au moins était vrai.

GÉNÉRIQUE

LES ACTEURS :

PAUL : Marlon BRANDO
JEANNE : Maria SCHNEIDER
TOM : Jean-Pierre LEAUD
MARCEL : Massimo GIROTTI
LA MERE DE ROSA : Maria MICHI
LA PROSTITUEE : Giovanna GALETTI
MISS BLANDISH : Laura BETTI
CATHERINE : Catherine ALLEGRET
LE COMMANDANT DE LA PENICHE : Jean-Luc BIDEAU
LA CONCIERGE : Darling LEGITIMUS
MONIQUE : Marie-Hélène BREILLAT
MOUCHETTE : Catherine BREILLAT
LE VENDEUR DE BIBLES : Michel DELAHAYE
ROSA : Veronica LAZARE
OLYMPIA : Luce MARQUAND
LA MERE DE JEANNE : Gitt MAGRINI
CHRISTINE : Rachel KESTERBER
LE CLIENT DE LA PROSTITUEE : Armand ABLANALP
LA PRESIDENTE DU JURY : Mimi PINSON
LE CHEF D'ORCHESTRE : Ramon MENDIZABAL
LE PETIT DANSEUR : Stéphane KOSIAK
LE GRAND DANSEUR : Gérard LEPENNEC
LA SCRIPT TV : Catherine SOLA
LE CAMERAMAN TV : Mauro MARCHETTI
L'INGENIEUR DU SON TV : Dan DIAMENT
L'ASSISTANT-CAMERAMAN TV : Peter SCHOMMER

FICHE TECHNIQUE :

Producteur : Alberto GRIMALDI
Réalisateur : Bernardo BERTOLUCCI
Scénaristes : Bernardo BERTOLUCCI, Franco ARCALLI
Directeur de la photographie : Vittorio STORARO
Compositeur : Gato BARBIERI
Décorateur : Ferdinando SCARFIOTTI
Script-girl : Suzanne DURREMBERGER
Monteur : Franco ARCALLI
Costumière : Gitt MAGRINI
Maquilleurs : Maud BEGON, Philip RHODES
Ingénieur du son : Antoine BONFANTI
Assistants-réalisateurs : Fernand MOSZKOWICS, Jean-David
   LEFEBVRE
Directeurs de production : Mario DI BIASE, Gérard CROSNIER

*

Une coproduction
P.E.A., ROME
LES PRODUCTIONS ARTISTES ASSOCIES, PARIS
Distribuée par
LES ARTISTES ASSOCIES
UNE COMPAGNIE TRANSAMERICA
1 × 1,85 - COULEUR
DUREE : 2 h 06

ROMANS-TEXTE INTÉGRAL

ALLEY Robert
517*   Le dernier tango à Paris

ARNOTHY Christine
343**   Le jardin noir
368**   Jouer à l'été
377**   Aviva
431**   Le cardinal prisonnier
511*** Un type merveilleux

ASHE Penelope
462**   L'étrangère est arrivée nue

AURIOL Jacqueline
485**   Vivre et voler

BARBIER Elisabeth
436**   Ni le jour ni l'heure

BARBUSSE Henri
13***   Le feu

BARCLAY Florence L.
287**   Le Rosaire

BIBESCO Princesse
77*   Katia
502**   Catherine-Paris

BODIN Paul
332*   Une jeune femme

BORY Jean-Louis
81**   Mon village à l'heure alle-
        mande

BRESSY Nicole
374*   Sauvagine

BUCHARD Robert
393**   30 secondes sur New York

BUCK Pearl
29**   Fils de dragon
127**   Promesse

CARLISLE Helen Grace
513**   Chair de ma chair

CARS Guy des
47**   La brute
97**   Le château de la juive
125**   La tricheuse

173**   L'impure
229**   La corruptrice
246**   La demoiselle d'Opéra
265**   Les filles de joie
295**   La dame du cirque
303**   Cette étrange tendresse
322**   La cathédrale de haine
331**   L'officier sans nom
347**   Les sept femmes
361**   La maudite
376**   L'habitude d'amour
        Sang d'Afrique :
399**   I. L'Africain
400**   II. L'amoureuse
        Le grand monde :
447**   I. L'alliée
448**   II. La trahison
492**   La révoltée
516**   Amour de ma vie

CASTILLO Michel del
105**   Tanguy

CESBRON Gilbert
6**   Chiens perdus sans collier
38*   La tradition Fontquernie
65**   Vous verrez le ciel ouvert
131**   Il est plus tard que tu ne
        penses
365**   Ce siècle appelle au secours
379**   C'est Mozart qu'on assas-
        sine
454**   L'homme seul
478**   On croit rêver

CHEVALLIER Gabriel
383*** Clochemerle-les-Bains

CLAVEL Bernard
290*   Le tonnerre de Dieu
300*   Le voyage du père
309**   L'Espagnol
324**   Malataverne
333**   L'hercule sur la place
457*   Le tambour du bief
474**   Le massacre des innocents
499**   L'espion aux yeux verts
522**** La maison des autres
        (avril 1974)

COLETTE
2*   Le blé en herbe
68*   La fin de Chéri
106*   L'entrave
153*   La naissance du jour

CRESSANGES Jeanne
363*   La feuille de bétel
(manquant)
387**   La chambre interdite
409*   La part du soleil
(manquant)

CURTIS Jean-Louis
312**   La parade
320**   Cygne sauvage
321**   Un jeune couple
348*   L'échelle de soie
366***   Les justes causes
413*   Le thé sous les cyprès
514***   Les forêts de la nuit

DAUDET Alphonse
34*   Tartarin de Tarascon
414*   Tartarin sur les Alpes

DHOTEL André
61*   Le pays où l'on n'arrive
jamais

FABRE Dominique
476**   Un beau monstre

FAURE Lucie
341**   L'autre personne
398**   Les passions indécises
467**   Le malheur fou

FLAUBERT Gustave
103**   Madame Bovary

FLORIOT René
408**   Les erreurs judiciaires
526**   La vérité tient à un fil
(avril 1974)

FRANCE Claire
169*   Les enfants qui s'aiment

GALLO Max
506****   Le cortège des vainqueurs

GENEVOIX Maurice
76*   La dernière harde

GREENE Graham
4*   Un Américain bien tranquille
55**   L'agent secret

GROULT Flora
518*   Maxime ou la déchirure

GUARESCHI Giovanni
1**   Le petit monde de don
Camillo
52*   Don Camillo et ses ouailles
130*   Don Camillo et Peppone
426*   Don Camillo à Moscou
(manquant)

HILTON James
99**   Les horizons perdus

HURST Fanny
261***   Back Street

KIRST H.H.
31**   08/15. La révolte du ca-
poral Asch
121**   08/15. Les étranges aven-
tures de guerre de l'adju-
dant Asch
139**   08/15. Le lieutenant Asch
dans la débâcle
188****   La fabrique des officiers
224**   La nuit des généraux
304***   Kameraden
357**   Terminus camp 7
386**   Il n'y a plus de patrie
482**   Le droit du plus fort

KONSALIK Heinz
497****   Amours sur le Don

KOSINSKY Jerzy
270**   L'oiseau bariolé

LABORDE Jean
421**   L'héritage de violence
(manquant)

LANCELOT Michel
396**   Je veux regarder Dieu en
face
451**   Campus

LENORMAND H.-R.
257*   Une fille est une fille

LEVIN Ira
449**   La couronne de cuivre

LEVIS MIREPOIX Duc de
43*   Montségur, les cathares
(manquant)

LOOS Anita
508*   Les hommes préfèrent les
blondes

LOWERY Bruce
165*   La cicatrice

MALLET-JORIS Françoise
87*   Les mensonges
301**   La chambre rouge
311**   L'Empire céleste

317**   Les personnages
370**   Lettre à moi-même

MALPASS Eric
340**   Le matin est servi
380**   Au clair de la lune, mon ami Gaylord

MARGUERITTE Victor
423**   La garçonne

MARKANDAYA Kamala
117**   Le riz et la mousson
435**   Quelque secrète fureur
503**   Possession

MAURIAC François
35*   L'agneau
93*   Galigaï
129*   Préséances
425**   Un adolescent d'autrefois

MAUROIS André
192*   Les roses de septembre

McGERR Pat
527**   Bonnes à tuer (avril 1974)

MERREL Concordia
336**   Le collier brisé
394**   Etrange mariage

MONNIER Thyde
    Les Desmichels :
206*   I. Grand-Cap
210**   II. Le pain des pauvres
218**   III. Nans le berger
222**   IV. La demoiselle
231**   V. Travaux
237**   VI. Le figuier stérile

MORAVIA Alberto
115**   La Ciociara
175**   Les indifférents
298***   La belle Romaine
319**   Le conformiste
334*   Agostino
390**   L'attention
403**   Nouvelles romaines
422**   L'ennui
479**   Le mépris
498**   L'automate

MORRIS Edita
141**   Les fleurs d'Hiroshima

MORTON Anthony
352*   Larmes pour le Baron
360*   L'ombre du Baron
364*   Le Baron voyage
367*   Le Baron passe la Manche
371*   Le Baron est prévenu
395*   Le Baron est bon prince
411*   Une sultane pour le Baron
420*   Le Baron et le poignard

429*   Une corde pour le Baron
437*   Piège pour le Baron
450*   Le Baron aux abois
456*   Le Baron risque tout
460*   Le Baron bouquine
469*   Le Baron et le masque d'or
477*   Le Baron riposte
494*   Un solitaire pour le Baron
521*   Le Baron et les œufs d'or

NATHANSON E.M.
308***   Douze salopards

NORD Pierre
378**   Le 13ᵉ suicidé
428**   Provocations à Prague
481**   Le canal de las Americas

OLLIVIER Eric
391*   Les Godelureaux

ORIEUX Jean
433*   Petit sérail

PEREC Georges
259*   Les choses

PEUCHMAURD Jacques
528**   Le soleil de Palicorna (avril 1974)

PEYREFITTE Roger
17**   Les amitiés particulières
86**   Mademoiselle de Murville
107**   Les ambassades
325***   Les Juifs (manquant)
335***   Les Américains
405**   Les amours singulières
416**   Notre amour
430**   Les clés de Saint Pierre
438**   La fin des ambassades
455**   Les fils de la lumière
473*   La coloquinte
487**   Manouche

RENARD Jules
11*   Poil de carotte

ROBLES Emmanuel
9*   Cela s'appelle l'aurore

SAGAN Françoise
461*   Un peu de soleil dans l'eau froide
512*   Un piano dans l'herbe

SAINT-ALBAN Dominique
    Noële aux Quatre Vents :
441**   I. Les Quatre Vents
442**   II. Noële autour du monde
443**   III. Les chemins de Hongrie
444**   IV. Concerto pour la main gauche

445** V. L'enfant des Quatre Vents
446** VI. L'amour aux Quatre Vents
483** Le roman d'amour des grandes égéries

SALMINEN Sally
263*** Katrina (avril 1974)

SEGAL Erich
412* Love Story

SELINKO A. M.
489** J'étais une jeune fille laide

SIMON Pierre-Henri
82** Les raisins verts (manquant)

SMITH Wilbur A.
326** Le dernier train du Katanga

TROYAT Henri
10* La neige en deuil
La lumière des justes :
272** I. Les compagnons du coquelicot
274** II. La Barynia
276** III. La gloire des vaincus
278** IV. Les dames de Sibérie
280** V. Sophie ou la fin des combats
323* Le geste d'Eve
Les Eygletière :
344** I. Les Eygletière
345** II. La faim des lionceaux
346** La malandre

Les héritiers de l'avenir :
464** I. Le cahier
465** II. Cent un coups de canon
466** III. L'éléphant blanc
488** Les ailes du diable

URIS Léon
143**** Exodus

VEILLOT Claude
472** 100 000 dollars au soleil

VIALAR Paul
57** L'éperon d'argent
299** Le bon Dieu sans confession
337** L'homme de chasse
350** Cinq hommes de ce monde T. I (manquant)
351** Cinq hommes de ce monde T. II (manquant)
372** La cravache d'or
402** Les invités de la chasse
417* La maison sous la mer
452** Safari-vérité
501** Mon seul amour

VILALLONGA José-Luis de
493* Fiesta
507** Allegro barbaro

WEBB Mary
63** La renarde

XENAKIS Françoise
491* Moi, j'aime pas la mer

L'AVENTURE MYSTÉRIEUSE

ANTEBI Elisabeth
A. 279**   Ave Lucifer

BARBARIN Georges
A. 216*   Le secret de la Grande
            Pyramide
A. 229*   L'énigme du Grand
            Sphinx

BARBAULT Armand
A. 242*   L'or du millième matin

BERGIER Jacques
A. 250*   Les extra-terrestres
            dans l'histoire
A. 271*   Les livres maudits
            (avril 1974)

BERNSTEIN Morey
A. 212**   A la recherche de Bri-
            dey Murphy

BIRAUD F. et RIBES J.-C.
A. 281**   Le dossier des civilisa-
            tions extra-terrestres

BROWN Rosemary
A. 293*   En communication avec
            l'au-delà (manquant)

CAYCE Edgar
A. 300*   Visions de l'Atlantide

CHARROUX Robert
A. 190*   Trésors du monde

CHEVALLEY Abel
A. 200*   La bête du Gévaudan

CHURCHWARD James
A. 223**   Mu, le continent perdu
A. 241**   L'univers secret de Mu
A. 291**   Le monde occulte de Mu
            (manquant)

DARAUL Arkon
A. 283**   Les sociétés secrètes
            (manquant)

DEMAIX Georges J.
A. 262**   Les esclaves du diable
            (manquant)

FLAMMARION Camille
A. 247**   Les maisons hantées
A. 310**   La mort et son mystère
            (avril 1974)

GERSON Werner
A. 267**   Le nazisme, sociéte se-
            crète

GRANT J. et KELSEY D.
A. 297**   Nos vies antérieures

HOMET Marcel
A. 309***   A la poursuite des dieux
            solaires

HUTIN Serge
A. 238*   Hommes et civilisations
            fantastiques
A. 269**   Gouvernants invisibles
            et sociétés secrètes

KOLOSIMO Peter
A. 306**   Terre énigmatique

LARGUIER Léo
A. 220*   Le faiseur d'or, Nicolas
            Flamel

LE POER TRENCH Brinsley
A. 252*   Le peuple du ciel

LESLIE et ADAMSKI
A. 260**   Les soucoupes volantes
            ont atterri

MILLARD Joseph
A. 232**   L'homme du mystère,
            Edgar Cayce

MOURA et LOUVET
A. 204**   Saint Germain, le rose-
            croix immortel

NEUVILLE Pierre
A. 301**   Ces autres vies que vous
            avez pourtant vécues

OSSENDOWSKI Ferdinand
A. 202**   Bêtes, hommes et dieux

PICHON Jean-Charles
A. 302**   Les trente années à
            venir révélées par l'his-
            toire cyclique

PIKE James A.
A. 285** Dialogue avec l'au-delà
          (manquant)

RAMPA T. Lobsang
A. 11** Le troisième œll
A. 210** Histoire de Rampa
A. 226** La caverne des anciens
A. 256** Les secrets de l'aura
A. 277** La robe de sagesse
A. 298*   Les clés du Nirvâna

ROBINSON Lytle W.
A. 305** Edgar Cayce et le des-
          tin de l'homme

SADOUL Jacques
A. 258** Le trésor des alchimistes
A. 299** L'énigme du zodiaque

SAINT-CLAIR David
A. 304** Magie brésilienne

SAURAT Denis
A. 187*   L'Atlantide et le règne
          des géants
A. 206*   La religion des géants
          (manquant)

SEABROOK William
A. 264** L'île magique

SEDE Gérard de
A. 185** Les Templiers sont parmi
          nous

A. 196*   Le trésor maudit de
          Rennes-le-Château
A. 303** La race fabuleuse

SENDY Jean
A. 208** La lune, clé de la Bible
A. 245** Les cahiers de cours de
          Moïse

TARADE Guy
A. 214** Soucoupes volantes et
          civilisations d'outre-
          espace

TOCQUET Robert
A. 273** Les pouvoirs secrets de
          l'homme
A. 275** Les mystères du surna-
          turel

VALLEE Jacques
A. 308** Chroniques des appari-
          tions extra-terrestres

VILLENEUVE Roland
A. 235*   Loups-garous et vam-
          pires
A. 307*   Sabbat et sortilèges

WILLIAMSON G. Hunt
A. 289** Les gîtes secrets du lion

ÉDITIONS J'AI LU
31, rue de Tournon, Paris-VIᵉ

Exclusivité de vente en librairie
FLAMMARION

« Composition réalisée en ordinateur par INFORMATYPE SERVICE »

IMPRIMÉ EN FRANCE PAR BRODARD ET TAUPIN
6, place d'Alleray - Paris.
Usine de La Flèche, le 25-03-1974.
1541-5 - Dépôt légal 1ᵉʳ trimestre 1974.